Alessandra Bonatti

Lucca , agosto 2005

BIBLIOTECA ADELPHI
469

Georges Simenon

LUCI NELLA NOTTE

Traduzione di Marco Bevilacqua

ADELPHI EDIZIONI

TITOLO ORIGINALE:

Feux rouges

© 2005 ADELPHI EDIZIONI S.P.A. MILANO
WWW.ADELPHI.IT

ISBN 88-459-1949-8

LUCI NELLA NOTTE

A Marie-Georges Simenon

1

Lui lo chiamava entrare nel tunnel. Era un'espressione sua, di cui si serviva solo nella sua testa e non usava con nessuno, meno che mai con la moglie. Sapeva esattamente cosa voleva dire, in che cosa consisteva trovarsi nel tunnel, ma curiosamente quando c'era dentro si rifiutava di ammetterlo, salvo di tanto in tanto, solo per qualche istante e sempre troppo tardi. Aveva provato spesso, a posteriori, a individuare il momento preciso in cui accadeva, ma senza riuscirci.

Quel giorno, per esempio, aveva cominciato il week-end del Labor Day di ottimo umore. Come altre volte, del resto. Era già successo anche che un fine settimana iniziato benissimo andasse a finire male. Ma non c'era alcun motivo perché fosse inevitabile.

Era uscito dall'ufficio di Madison Avenue alle cinque e tre minuti dopo si era incontrato con sua moglie nel solito bar della Quarantacinquesima Strada; lei era arrivata prima e senza aspettarlo aveva ordinato un martini. Nel locale le luci erano basse e pochi i clienti abituali. In realtà non vide facce conosciute perché quel venerdì, ancora più degli altri, la gente si precipitava a prendere treni e automobili per andarsene al mare o in campagna. Nel giro di un'ora New York si sarebbe svuotata e nei quartieri ormai silenziosi sarebbero rimasti soltanto uomini in maniche di camicia e donne senza calze sedute davanti alla porta di casa.

Non pioveva ancora. Fin dal mattino, e già da tre giorni, il cielo era coperto e l'aria così pregna di umidità che si poteva fissare il sole giallo pallido come attraverso un vetro smerigliato. Ora il servizio meteorologico annunciava temporali locali e prometteva una notte più fresca.

«Stanco?».

«Non troppo».

D'estate, quando i bambini erano al campeggio, si ritrovavano tutte le sere alla stessa ora, sempre sugli stessi sgabelli; Louis si limitava a dare loro una strizzata d'occhio e li serviva senza aspettare che ordinassero. Non sentivano il bisogno di parlarsi subito. Uno dei due porgeva all'altro una sigaretta. Talvolta Nancy spingeva verso di lui la ciotola delle noccioline, altre volte era lui a passarle le olive, e lo sguardo di entrambi si posava distrattamente sul piccolo quadrante bluastro del televisore appeso in alto, in un angolo del locale. Immagini in movimento. Una voce commentava una partita di baseball, oppure una cantante si esibiva. Non aveva importanza.

«Avrai il tempo di farti una doccia prima di partire».

Era il suo modo di occuparsi di lui. Non dimenticava mai di chiedergli se era stanco, guardandolo come si guarda un bambino che sta covando una malattia o è di salute cagionevole. A Steve dava fastidio. Sapeva di non avere un bell'aspetto a quell'ora, con la camicia incollata addosso, la barba che cominciava a spuntare e sulla pelle inumidita dal caldo sembrava anche più scura. E Nancy doveva già aver notato gli aloni di sudore sotto le ascelle.

Ma la cosa che lo irritava di più era il fatto che lei fosse fresca come quando era uscita di casa la mattina, senza una piega di troppo sul tailleur leggermente inamidato: nessuno, vedendola, avrebbe immaginato che avesse trascorso la giornata in ufficio; la si poteva scambiare per una di quelle donne che si alzano alle quattro del pomeriggio e compaiono solo all'ora dell'aperitivo.

Louis chiese:

«Andate a prendere i bambini?».

Steve assentì.

«Nel New Hampshire?».

«Maine».

Quanti genitori, a New York e dintorni, si sarebbero messi in strada quella sera per andare a prelevare i figli in un campeggio del Nord? Centomila? Duecentomila? Forse di più. Sicuramente da qualche parte sul giornale davano la cifra esatta. Al conto andavano poi aggiunti i ragazzini che avevano trascorso l'estate da una nonna o da una zia, in campagna o al mare. Lo stesso rito ovunque, da un oceano all'altro, dalla frontiera canadese a quella con il Messico.

Sullo schermo del televisore un tizio in maniche di camicia, con un paio di occhiali dalla spessa montatura di tartaruga che sembrava fargli caldo, annunciava con tetra enfasi:

«Il National Safety Council prevede che questa sera sulle strade ci saranno tra i quaranta e i quarantacinque milioni di automobili e stima che, entro lunedì sera, perderanno la vita a causa di incidenti stradali circa quattrocentotrentacinque persone».

E, prima di essere sostituito dalla pubblicità di una birra, concludeva, lugubre:

11

«Cercate di non essere fra questi. Guidate con prudenza».

Perché quattrocentotrentacinque e non quattrocentotrenta o quattrocentoquaranta? Sarebbero andati avanti a ripetere questo genere di annunci per tutta la notte, e anche l'indomani e il giorno dopo ancora, fra un programma e l'altro, come se si trattasse di un quiz a premi. Steve ricordava la voce di un annunciatore che avevano sentito l'anno prima tornando dal Maine con i bambini, la domenica sera:

«Finora il numero dei morti si è mantenuto molto al di sotto delle previsioni degli esperti, nonostante la collisione aerea sopra l'aeroporto di Washington che ha causato trentadue vittime. Ma fate attenzione, il week-end non è ancora finito!».

«Per quel che mi riguarda,» disse Louis come sempre a bassa voce, portando un'altra ciotola di noccioline «mia moglie e il piccolo sono da mia suocera alla frontiera con il Québec. Tornano domani con il treno».

Di solito, salvo le rare volte in cui cenavano fuori prima di andare a teatro, Steve e Nancy bevevano un solo martini. Forse però quella sera lui ne avrebbe volentieri ordinato un altro. Forse. Non necessariamente per tirarsi su, né per via del caldo. Ma così, senza motivo. O piuttosto perché quello non era un week-end come gli altri. Al ritorno dal Maine avrebbero messo la parola fine all'estate e alle vacanze, e a quel punto sarebbe cominciata la vita invernale, con le giornate sempre più corte, i figli che li avrebbero costretti a tornare a casa subito dopo il lavoro, un'esistenza più complicata, senza strappi alla regola.

Allora non valeva la pena di bere un bicchiere in più? Non aveva detto nulla, non aveva fatto alcun cenno a Louis. Eppure Nancy lo aveva intuito e si era lasciata scivolare giù dal suo sgabello.

«Paga. È ora di andare».

Non era troppo contrariato. Forse un po' deluso,

o piuttosto seccato. Soprattutto perché Louis aveva capito benissimo quel che era successo.

Per raggiungere il parcheggio dove lasciavano la macchina durante il giorno dovevano percorrere due strade e, al di là della Terza Avenue, si aveva l'impressione che fosse già domenica.

«Vuoi che guidi io?» aveva proposto Nancy.

Lui disse di no, sedette al volante e si diresse verso il Queensboro Bridge, dove le auto incolonnate procedevano a passo d'uomo. Appena duecento metri più avanti una macchina ribaltata di fianco al marciapiede, una donna seduta per terra attorniata da un gruppo di persone, e un agente che si dava da fare per decongestionare la circolazione in attesa dell'ambulanza.

«Inutile partire troppo presto» disse Nancy cercando le sigarette nella borsa. «Fra un paio d'ore ci sarà meno traffico».

Mentre attraversavano Brooklyn, qualche goccia di pioggia scivolò sul parabrezza, ma non si trattava ancora dell'acquazzone preannunciato.

Steve era di buonumore, in quel momento. E lo era ancora quando rientrarono in casa, a Scottville, un nuovo complesso residenziale nel centro di Long Island.

«Ti va bene una cena fredda?».

«Anzi, meglio».

Con il ritorno dei bambini anche la casa sarebbe cambiata. D'estate Steve aveva sempre una sensazione di vuoto, come se Nancy e lui non avessero alcuna ragione di essere lì, di trattenersi in una stanza piuttosto che in un'altra, e non sapessero che fare delle loro serate.

«Intanto che prepari i panini esco a prendere una stecca di sigarette».

«Ce ne sono nell'armadio».

«Guadagneremo tempo se ne approfitto per fare benzina e controllare l'olio».

Nancy non aveva protestato e lui ne fu sorpreso. Si fermò veramente al garage. Mentre controllavano le gomme entrò un attimo nel ristorante italiano per bere un whisky.

«Scotch?».

«Rye».

In realtà il rye non gli piaceva. Aveva scelto la cosa più forte perché pensava che non avrebbe più avuto occasione di bere quella notte e il viaggio in autostrada sarebbe durato ore.

Si poteva dire che fosse entrato nel tunnel? Aveva bevuto due bicchieri in tutto, non più di quando andavano a teatro e Nancy beveva altrettanto. Ciò nonostante, al suo ritorno, la moglie gli lanciò un'occhiata furtiva.

«Hai comprato le sigarette?».

«Mi hai detto che ce n'erano nell'armadio. Ho fatto il pieno e ho controllato le gomme».

«Le compreremo per strada».

In casa non c'erano sigarette. Dunque, o Nancy si era sbagliata oppure aveva fatto apposta a dirgli il contrario.

Lo chiamò mentre stava andando in bagno.

«Farai la doccia dopo mangiato, mentre lavo i piatti».

Non si poteva dire che Nancy gli desse ordini, ma certo scandiva i tempi della loro vita a suo piacimento, come se fosse assolutamente naturale. Steve aveva torto e lo sapeva. Ogni volta che beveva un paio di bicchieri la vedeva con occhi diversi, si spazientiva per cose che di solito gli sembravano normali.

«Sarà meglio che ti porti la giacca di tweed e l'impermeabile».

Fuori si era levato il vento, che agitava i rami ancora fragili degli alberi piantati cinque anni prima, quando erano state costruite le villette e tracciate le strade. Alcuni non avevano attecchito e non era servito a niente sostituirli due o tre volte.

Di fronte a casa loro un vicino stava agganciando all'auto un rimorchio con sopra un gommone, mentre sul marciapiede la moglie, tutta rossa per una recente insolazione, con le grosse cosce strette in un paio di pantaloncini azzurro pallido, teneva in mano le canne da pesca.

«A che pensi?».

«A niente».

«Sono curiosa di vedere se Dan è cresciuto ancora. Il mese scorso mi è sembrato più alto, con le gambe più magre».

«È l'età».

Non era successo niente di particolare. Aveva fatto la doccia, si era vestito, poi la moglie gli aveva ricordato di andare in garage a staccare la corrente, mentre lei nel frattempo controllava che le finestre fossero chiuse.

«Prendo le valigie?».

«Guarda che siano chiuse».

Quando si mise al volante la sua camicia pulita era già zuppa di sudore, nonostante il vento e il cielo coperto.

«Facciamo la stessa strada dell'ultima volta?».

«Avevamo giurato di non farla più».

«Però è la più comoda».

Meno di un quarto d'ora dopo si univano a migliaia di altre macchine che procedevano nella stessa direzione, con inspiegabili rallentamenti alternati a momenti in cui il traffico diventava quasi frenetico.

Si imbatterono nel primo temporale all'inizio della Merrit Parkway, quando non era ancora del tutto buio e le automobili avevano acceso soltanto le luci di posizione. Nelle corsie in direzione nord ce n'erano tre file, e naturalmente molte di meno nel senso opposto; si sentiva la pioggia crepitare sull'acciaio dei tetti delle macchine, il rumore uniforme delle ruote che sollevavano getti d'acqua, il fastidioso tic tac dei tergicristalli.

«Sei sicuro di non essere stanco?».

«Sicurissimo».

Ogni tanto una fila di auto sorpassava le altre, e a volte si aveva l'impressione di andare all'indietro.

«Avresti dovuto prendere la terza corsia».

«Ci provo».

«Non ora. C'è un pazzo dietro di noi».

A ogni lampo, i visi emergevano dall'ombra delle altre auto, tutti con la stessa espressione tesa.

«Sigaretta?».

«Sì, grazie».

Quando guidava, Nancy gliele passava già accese.

«Radio?».

«Come vuoi».

Ma Nancy dovette spegnerla subito, perché le scariche del temporale facevano gracchiare l'apparecchio.

E non valeva più nemmeno la pena di parlare. Sarebbe stato faticoso, perché a causa del frastuono incessante bisognava alzare la voce. Pur tenendo lo sguardo fisso davanti a sé, Steve intravedeva nella penombra il profilo pallido di Nancy; un paio di volte le chiese:

«A che cosa pensi?».

«A niente».

Una volta Nancy aggiunse:

«E tu?».

Lui rispose:

«Ai bambini».

Non era vero. In realtà nemmeno lui pensava a niente di preciso. O meglio, gli dispiaceva di essere riuscito a infilarsi nella terza corsia, perché poi sarebbe stato difficile cambiarla senza che la moglie gliene domandasse la ragione. Di lì a poco, una volta usciti dalla parkway, ci sarebbero stati dei bar lungo la strada.

Gli era mai capitato di andare ad accompagnare o a riprendere i figli senza fare più di una sosta per buttar giù un bicchierino? Solo una volta, ed erano passati tre anni: il giorno prima c'era stata con Nancy una terribile litigata, così che, tutti e due mortificati, avevano poi trasformato quel week-end in un secondo viaggio di nozze.

«Pare che abbiamo superato il temporale».

Nancy spense i tergicristalli, ma poi dovette rimetterli in funzione per alcuni minuti, perché grosse gocce d'acqua, come isolate, si infrangevano ancora sul parabrezza.

«Hai freddo?».

«No».

L'aria si era rinfrescata. Con il gomito fuori dal finestrino, Steve sentiva il vento gonfiargli la manica della camicia.

«E tu?».

«Per ora no. Dopo metterò il soprabito».

Perché di tanto in tanto sentivano il bisogno di scambiarsi frasi del genere? Forse per rassicurarsi a vicenda? Ma di che cosa avevano paura?

«Provo ad accendere la radio, ora che il temporale è passato».

Trasmettevano musica. Nancy gli passò un'altra sigaretta e si abbandonò sul sedile, anche lei con una sigaretta accesa fra le labbra, soffiando il fumo verso l'alto.

«Bollettino speciale dell'Automobile Club del Connecticut...».

Ora erano nel Connecticut, a una cinquantina di miglia da New London.

«... Il week-end del Labor Day ha causato la sua prima vittima nel Connecticut stasera alle diciannove e quarantacinque, quando, all'incrocio fra la strada numero 1 e la 118, a Darrien, un'auto guidata da un certo MacKillian, di New York, si è scontrata con un camion condotto da Robert Ostling. MacKillian e il passeggero che era con lui, John Roe, sono morti sul colpo. Incolume il conducente del camion. Dieci minuti dopo, a trenta miglia dal luogo del sinistro, un'auto guidata da...».

Steve spense la radio. Nancy aprì la bocca per dire qualche cosa ma tacque. Forse si era accorta che, probabilmente senza rendersene conto, aveva rallentato.

Alla fine Nancy mormorò:

«Dopo Providence ci sarà meno traffico».

«Fino a quando non incontreremo quello proveniente da Boston».

Le notizie non lo avevano particolarmente impressionato. Non era spaventato. Lo innervosiva piuttosto il rumore ossessivo delle ruote da tutt'e due le parti, così come i fari che ogni cento metri gli si precipitavano incontro; inoltre aveva la sensazione di essere prigioniero del flusso, senza possibilità di fuggire né a destra né a sinistra, e nemmeno di rallentare, dato che, come si vedeva nello specchietto retrovisore, un triplice rosario di fari li seguiva a stretto contatto di paraurti.

Sulla destra cominciavano a comparire le insegne al neon che, con i distributori di benzina, costituivano i soli segni di vita. Senza queste, la strada sarebbe parsa sospesa nell'infinito, circondata soltanto dalla notte e dal silenzio. Le città e i paesi erano nascosti più lontano, invisibili; solo ogni tanto un vago alone rossastro nel cielo ne rivelava l'esistenza.

L'unica realtà tangibile erano i ristoranti e i bar che ogni cinque o dieci miglia sbucavano dall'oscurità con le loro scritte rosse, verdi o blu che reclamizzavano il nome di una birra o di un whisky.

Ora si trovava nella fila di centro. C'era arrivato poco alla volta, senza che la moglie se ne accorgesse; all'improvviso, approfittando di un varco, si inserì nella prima corsia.

«Che fai?».

Stava per lasciarsi sfuggire il bar la cui insegna al neon diceva «Little Cottage», ma fece in tempo a frenare, così bruscamente che l'auto che lo seguiva sbandò e si udì una scarica di imprecazioni. Il conducente gli mostrò perfino il pugno dal finestrino.

«Devo andare in bagno» disse con la voce più naturale possibile fermandosi sul terrapieno. «Tu non hai sete?».

«No».

Era capitato spesso che lei lo aspettasse in macchina. In un'altra auto parcheggiata di fronte al locale c'era una coppietta; i due erano così strettamente avvinghiati che per un istante si domandò se non si trattasse di una persona sola.

Non appena varcata la porta si sentì subito un altro uomo e si fermò a osservare la sala immersa in una penombra rosata. Quel bar somigliava a tutti gli altri lungo la strada e non era poi così diverso da quello di Louis, nella Quarantacinquesima: lo stesso televisore nell'angolo, gli stessi odori, gli stessi effetti di luce.

«Un martini secco con una scorzetta di limone» ordinò quando il barista si voltò verso di lui.

«Normale?».

«Doppio».

Se non glielo avesse chiesto si sarebbe accontentato di uno normale, ma tanto valeva prenderlo doppio, dato che con ogni probabilità la moglie gli avrebbe impedito di fermarsi una seconda volta.

Guardò titubante la porta del bagno, poi decise di entrarci, per scrupolo, per una sorta di rigurgito di onestà; nel farlo, passò davanti a un uomo bruno che telefonava coprendosi la bocca con la mano. Percepì una voce roca.

«Sì. Ripetigli semplicemente quello che ti ho ap-

19

pena detto. Nient'altro. Lui capirà. Piantala di rompere. Ti ho detto che capirà».

A Steve sarebbe piaciuto fermarsi ad ascoltare, ma il tizio, mentre parlava, lo seguiva con uno sguardo truce. Che cosa significava esattamente quel messaggio? Con chi stava parlando?

Tornò al banco e vuotò il bicchiere in due sorsate, cercando già gli spiccioli in tasca. Nancy avrebbe fatto commenti? Non bastava che per colpa sua non potesse fermarsi un attimo a guardare le persone e a distendere i nervi?

Forse era entrato nel tunnel... Anzi, forse ci era entrato da quando erano partiti da Long Island... Lui però non ne era consapevole, e si considerava l'uomo più normale del mondo: che cosa mai poteva fargli quel poco di alcol che aveva buttato giù?

Non sapeva perché, ma quando tornò alla macchina e aprì lo sportello senza rivolgere uno sguardo alla moglie si sentiva imbarazzato, colpevole. Nancy non gli fece domande, non disse niente.

«Ora va meglio!» mormorò come a se stesso mettendo in moto.

Gli sembrava che il traffico fosse diminuito e la velocità fosse calata, tanto che sorpassò tre o quattro auto che procedevano davvero troppo lentamente. Preoccupato com'era dalle strane luci e dalle transenne bianche che gli spuntavano davanti, non fece caso all'ambulanza che sopraggiungeva in senso inverso.

«Deviazione» annunciò Nancy con voce fin troppo pacata.

«Ho visto».

«A sinistra».

Lui arrossì, dato che stava per prendere a destra.

«Mai una volta che si possa fare questa strada senza qualche deviazione» brontolò. «Come se non potessero riparare le strade in inverno!».

«Sotto la neve?» obiettò lei con lo stesso tono di voce.

«Allora lo facciano in autunno, e in ogni caso in un momento in cui non siano in circolazione quaranta milioni di automobili».

«Hai superato l'incrocio».

«Quale incrocio?».

«Quello con l'indicazione della highway».

«E gli altri dietro di noi?» ironizzò.

In effetti dietro di loro c'erano altre macchine, anche se meno numerose di prima.

«Non tutti vanno nel Maine».

«Sta' tranquilla. Ti ci porto, nel Maine».

Un istante dopo esultò, perché si erano immessi in una strada importante:

«E questa cos'è? Si può sapere che razza di cartello avevi visto?».

«Non siamo sulla numero 1».

«È quello che vedremo».

Più di tutto gli dava sui nervi la sicumera della moglie, la pacatezza con cui gli rispondeva.

Si intestardì:

«Immagino che tu non possa sbagliarti, vero?».

Nancy non rispose e questo lo irritò ancora di più.

«Rispondi! Di' quello che pensi!».

«Ti ricordi di quella volta che abbiamo fatto una deviazione di sessanta miglia?».

«Abbiamo evitato il grosso del traffico!».

«Sì, per un caso!».

«Senti, Nancy, se stai cercando di litigare dillo subito».

«Non voglio litigare. Tento solo di capire dove siamo».

«Dato che sono io a guidare, fammi il piacere di non preoccuparti».

Nancy si zittì. Nemmeno lui riconosceva più la strada, adesso meno larga, meno scorrevole, senza

21

un distributore di benzina da quando l'avevano imboccata. Un altro temporale gorgogliava nel cielo.

Con calma Nancy estrasse la carta dal cassettino e accese la luce sotto il cruscotto.

«Dobbiamo essere su una strada fra la 1 e la 82, in direzione di Norwich. Ma non riesco a trovare il numero».

Cercò, troppo tardi, di leggere il nome di un paesino che era emerso dalla notte con le sue poche luci e che avevano già oltrepassato. Adesso procedevano in mezzo ai boschi.

«Davvero non vuoi tornare indietro?».

«No».

Tenendo la carta sulle ginocchia Nancy si accese una sigaretta senza offrirne a lui.

«Sei arrabbiata?» chiese Steve.

«Io?».

«Ma sì, tu. Ammettilo, sei arrabbiata. Perché ho avuto la malaugurata idea di uscire dall'autostrada e fare una deviazione di poche miglia... Se non sbaglio eri tu che, poco fa, dicevi che avevamo tutto il tempo...».

«Attento!».

«Cosa c'è?».

«Stavi uscendo di strada».

«Adesso non so neanche più guidare?».

«Non ho detto questo».

Fu allora che lui uscì dai gangheri, all'improvviso, senza una ragione precisa.

«E va bene, non lo hai detto, ma ora ti dirò io una cosa, tesoro, e sarà meglio per te se te la ricordi una volta per tutte».

Il bello è che nemmeno lui sapeva esattamente cosa stava per tirar fuori. Cercava parole forti, perentorie, che impartissero alla moglie la lezione di umiltà di cui aveva tanto bisogno.

«Vedi, Nancy, forse l'unica a non saperlo sei tu, ma sei una rompiscatole».

«Ti spiace guardare la strada?».

«Ma sicuro, guarderò la strada, guiderò con calma e con prudenza, così non rischieremo di uscire dai binari. Capisci di quali binari sto parlando?».

Di colpo quel che aveva detto gli sembrò acutissimo, di una verità lampante. Anzi, quasi una scoperta: ecco che cosa non andava in Nancy, il fatto che seguiva i binari, senza mai un pizzico di fantasia.

«Non capisci?».

«Devo proprio?».

«Cosa? Sapere che cosa ne penso io? Dio mio, forse potrebbe aiutarti a fare uno sforzo per capire gli altri e rendergli la vita più sopportabile. A me, soprattutto. Ma dubito che questo ti interessi».

«Non mi lasceresti guidare?».

«Certo che no. Se per un istante, anziché pensare solo a te stessa ed essere sempre convinta di avere ragione, ti guardassi una buona volta allo specchio e ti chiedessi...».

Si sforzava faticosamente di esprimere quello che provava, quello che era sicuro di aver provato ogni giorno della sua vita da undici anni a quella parte, da che erano sposati.

Non era la prima volta che gli succedeva, ma ora era convinto di aver fatto una scoperta che gli avrebbe consentito di spiegare tutto. Nancy avrebbe ben dovuto capire un giorno o l'altro, no? E quel giorno forse si sarebbe decisa a trattarlo finalmente da uomo.

«Che cosa c'è di più stupido di un treno che segue sempre lo stesso percorso, gli stessi binari all'infinito? Be', poco fa, sulla parkway, mi sembrava di essere un treno. Le altre macchine si fermavano dove capitava, e ne scendevano uomini che non dovevano chiedere il permesso a nessuno per andarsi a bere una birra!».

«Hai bevuto una birra?».

Esitò, preferì essere sincero.

«No».

«Un martini?».

«Sì».

«Doppio?».

Essere costretto a rispondere lo mandava in bestia.

«Sì».

«E prima?» insistette Nancy come sempre.

«Prima quando?».

«Prima di partire».

«Non capisco».

«Che cos'hai bevuto quando sei andato a fare benzina?».

Questa volta mentì.

«Niente».

«Ah!».

«Non mi credi?».

«Se è così, il martini doppio ti ha fatto più effetto del solito».

«Pensi che sia ubriaco?».

«In ogni caso parli come quando hai bevuto».

«Dico stupidaggini?».

«Non so se sono stupidaggini, ma mi detesti».

«Perché non vuoi capire?».

«Capire che cosa?».

«Che non ti detesto, che anzi ti amo, che sarei assolutamente felice con te se tu accettassi di trattarmi come un uomo».

«Lasciandoti bere in tutti i bar che incontriamo?».

«Lo vedi!».

«Vedo cosa?».

«Scegli le frasi più umilianti. Fai apposta a presentare le cose in modo meschino. Sono forse un ubriacone?».

«No di certo. Non avrei mai sposato un ubriacone».

«Bevo spesso?».

«Di rado».

«Neanche una volta al mese. Forse una volta ogni tre mesi».

«Allora che cosa ti succede?».

«Non mi succederebbe niente se tu non mi guardassi come l'ultimo dei reietti. E se una sera ho voglia di evadere un poco dalla solita vita...».

«Ti pesa?».

«Non ho detto questo... Prendi Dick, per esempio... Non c'è sera che non vada a dormire senza essere più o meno alticcio... Eppure tu lo consideri un tipo interessante, e anche quando ha bevuto con lui fai grandi discorsi...».

«Prima di tutto non è mio marito».

«E poi?».

«Abbiamo un camion davanti».

«L'ho visto».

«Sta' zitto un momento. Tra poco arriviamo a un incrocio e vorrei riuscire a leggere cosa c'è scritto sui cartelli».

«Ti secca parlare di Dick?».

«No».

«Sei pentita di non aver sposato lui al posto mio?».

«No».

Erano di nuovo sulla highway, con due file di auto che procedevano molto più veloci che all'uscita da New York e si sorpassavano incessantemente. Forse nella speranza di farlo tacere Nancy accese la radio, che dava il notiziario delle undici.

«... La polizia è convinta che Sid Halligan, evaso la notte scorsa dal penitenziario di Sing Sing e riuscito finora a sfuggire alle ricerche...».

Nancy girò la manopola.

«Perché hai spento?».

«Pensavo non ti interessasse».

Infatti non gli interessava. Non aveva mai sentito parlare di Sid Halligan, non sapeva nemmeno che il giorno precedente un detenuto fosse evaso da Sing Sing. Aveva solo pensato, ascoltando la radio, al tizio che telefonava nel bar, con la mano sulla bocca e lo sguardo di una implacabile fissità. Non aveva importanza, a parte il fatto che Nancy aveva spento la radio senza chiederglielo, perché erano le piccolezze come quella a...

A che punto della discussione erano quando Nancy lo aveva interrotto? Stavano parlando di Dick Lowell, che aveva sposato un'amica di Nancy e con il quale capitava loro di passare la serata.

Sciocchezze! A che scopo discutere? Dick si preoccupava forse dell'opinione della moglie? La colpa era sua se aveva paura di quello che Nancy poteva pensare e stava sempre a elemosinare la sua approvazione.

« Che cosa fai? ».

« Lo vedi. Mi fermo ».

« Senti... ».

Il bar aveva un aspetto piuttosto misero: vi erano parcheggiate davanti soltanto auto mezzo scassate, e proprio per questo Steve aveva voglia di entrarci.

« Se scendi, » annunciò Nancy scandendo le parole « ti avverto che proseguo da sola ».

Lui rimase di stucco. Per un istante la guardò, incredulo, e lei sostenne il suo sguardo. Era impeccabile, tale e quale a quando erano partiti da New York – fredda come un cetriolo, pensò volgarmente Steve.

Forse non sarebbe successo niente, e lui avrebbe lasciato perdere, se lei non avesse aggiunto:

« Potrai sempre arrivare al campeggio con il pullman ».

Sentì che uno strano sorriso gli affiorava sulle labbra e, anche lui con la massima calma, allungò la mano verso la chiave di accensione, la sfilò e se la ficcò in tasca.

Tra loro non era mai accaduto nulla di simile.

Non poteva più tornare indietro. Era convinto che le ci volesse una lezione.

Uscì dalla macchina, richiuse la portiera evitando di guardare la moglie e si sforzò di camminare con passo sicuro fino alla porta del bar. Quando sulla soglia si voltò, vide il profilo lattiginoso di Nancy ancora immobile dietro il vetro.

Entrò nel locale. Alcuni volti, che il fumo deformava come gli specchi delle fiere, si girarono verso di lui; quando posò la mano sul bancone, sentì che era appiccicoso di liquore.

Mentre si avvicinava al banco, il locale piombò improvvisamente nel più assoluto silenzio: il frastuono che fino a un istante prima riempiva la sala si era spento di colpo come un'orchestra al cenno del direttore, gli avventori, immobili al loro posto, lo seguivano con gli occhi senza né ostilità né curiosità, gli pareva, senza che si potesse leggere sui loro visi un'espressione qualsiasi.

Ma appena posò la mano sul banco, su cui subito il barista allungò il braccio villoso per passarvi uno strofinaccio lurido, la vita riprese e nessuno sembrò più far caso a lui.

La cosa lo colpì. Quel bar era così diverso dai soliti locali che si trovano lungo la strada. Nelle vicinanze doveva esserci un paese o una cittadina, e probabilmente una fabbrica, perché le persone parlavano con inflessioni diverse e accanto a lui, con i gomiti appoggiati al banco, c'erano due negri.

«Cosa prendi, straniero?» chiese l'uomo dietro il bancone.

Non lo aveva chiamato così per prenderlo in giro. Aveva una voce cordiale.

«Rye!» mormorò Steve.

Questa volta non lo aveva scelto perché si trattava del liquore più forte, ma perché ordinando dello scotch si sarebbe fatto notare. Non voleva lasciare Nancy sola troppo a lungo. Ma non doveva nemmeno tornare alla macchina troppo presto, perché avrebbe perso il vantaggio acquisito.

Il fatto di essersi mostrato tanto perentorio lo disorientava. Quasi se ne vergognava, nonostante dentro di sé fosse convinto di essere dalla parte della ragione e che la moglie meritasse una lezione.

Era colpa di Nancy se frequentava così di rado locali di quel genere. Adesso ne respirava con avidità l'odore acre; e guardava le pareti dipinte di verde scuro, ornate di vecchie stampe a colori; attraverso una porta spalancata intravide la cucina in disordine, dove una donna dai capelli grigi che le ricadevano sul viso beveva in compagnia di altre due donne e di un uomo.

Sopra il banco era appeso un enorme televisore vecchio modello; le immagini tremolanti, sembravano quelle dei primi film e nessuno vi prestava attenzione; quasi tutti parlavano ad alta voce, uno dei negri vicino a lui lo urtava di continuo indietreggiando per gesticolare e ogni volta si scusava con una grande risata. In un tavolo d'angolo due innamorati di una certa età si tenevano per la vita, guancia contro guancia, immobili come in una fotografia, in silenzio, con lo sguardo perso nel vuoto.

Nancy non avrebbe mai capito tutto questo. Lui stesso avrebbe faticato a spiegarle che cosa c'era da capire. Probabilmente immaginava che lui si fosse fermato per bere: non era esatto, ma quello era proprio il genere di verità che si addiceva a Nancy e le dava sempre l'impressione di aver ragione.

Non ce l'aveva con lei. Si chiese se stava piangendo, da sola in macchina; tirò fuori dalla tasca un biglietto da un dollaro e lo posò sul banco. Era ora di andare. Si era fermato più o meno cinque minuti. Sullo schermo si vedeva l'immagine di una bambina di circa quattro anni rannicchiata in uno sgabuzzino fra scope e secchi; non ascoltò il commento e l'immagine fu sostituita da quella della vetrina sfondata di un negozio.

Prese il resto e stava per voltarsi quando si sentì toccare la spalla mentre una voce scandiva lentamente:

«Questo giro lo offro io, amico!».

Era il suo vicino di destra, cui non aveva fatto caso. Era solo, con i gomiti sul banco, e quando Steve volse gli occhi verso di lui si ritrovò davanti uno sguardo dalla fissità imbarazzante. Doveva aver bevuto parecchio. Aveva la bocca impastata e si muoveva con cautela, forse perché sapeva di possedere un equilibrio instabile.

Steve fu tentato di andarsene spiegando che la moglie lo aspettava. Ma l'altro, intuendo le sue intenzioni, si girò verso il padrone e gli additò i loro bicchieri vuoti; il barman lanciò a Steve uno sguardo che voleva dire:

«Ma sì, accetti».

O magari poteva significare anche:

«Farebbe meglio ad accettare».

Non era un ubriaco molesto, e forse nemmeno un ubriaco qualsiasi. La sua camicia bianca era pulita come quella di Steve, i capelli biondi tagliati da poco, e la carnagione abbronzata metteva in risalto l'azzurro chiaro degli occhi.

Fissando il compagno, tese il bicchiere; Steve fece lo stesso e bevve tutto d'un fiato.

«Grazie, mia moglie...».

Di fronte al sorriso che balenò nello sguardo del suo interlocutore non osò continuare. Sembrava quasi che quell'uomo che non smetteva di fissarlo senza dire una parola sapesse tutto di lui, lo conoscesse come un fratello, gli leggesse i pensieri negli occhi.

Era ubriaco, certo, ma nella sua ubriachezza c'era la serenità amara e sorridente di un uomo che aveva raggiunto chissà quale superiore saggezza.

Steve aveva fretta di tornare da Nancy. Ma allo stesso tempo temeva di deludere lo sconosciuto, che doveva avere pressappoco la sua età.

Disse rivolto al proprietario:

«Un altro!».

Avrebbe voluto parlare, ma non trovava nessuna frase adatta. Al suo interlocutore, del resto, il silenzio non dava fastidio; continuava a fissarlo con aria soddisfatta, come se fossero stati amici da sempre, senza più bisogno di dirsi niente.

Quando l'uomo tentò di accendersi una sigaretta con mano tremante fu chiaro quanto fosse stordito dall'alcol e lui stesso se ne rese conto: gli occhi, la piega delle labbra volevano dire:

«Ho bevuto, certo. Sono sbronzo. E allora?».

Quello sguardo così carico di significati metteva a disagio Steve come se l'avessero spogliato davanti a tutti.

«Lo so. Tua moglie ti aspetta in macchina. Ti farà una scenata. E con ciò?».

Forse aveva capito anche che aveva dei figli in un campeggio nel Maine. E poi una casa da quindicimila dollari, pagabili in dodici anni, in un nuovo complesso residenziale di Long Island.

Fra loro dovevano esserci delle affinità, dei punti in comune che Steve avrebbe voluto scoprire. Ma l'idea che la moglie lo aspettasse adesso da più di dieci minuti, forse un quarto d'ora, gli dava una sensazione di panico.

Pagò il suo giro e tese goffamente la mano, che l'altro strinse fissandolo con insistenza negli occhi, come per trasmettergli un misterioso messaggio.

Guadagnò l'uscita accompagnato dallo stesso improvviso silenzio che lo aveva accolto; non osò voltarsi, aprì la porta e vide che aveva ricominciato a piovere. Notò che il parcheggio era occupato perlopiù da furgoni, raggiunse la sua auto e si fermò interdetto vedendo che la moglie non c'era.

In un primo momento pensò che fosse andata a sgranchirsi le gambe e cominciò a guardarsi intorno. Al posto del temporale c'era ora una pioggia sottile e carezzevole, di corroborante freschezza.

«Nancy!» chiamò a mezza voce.

Fin dove riusciva a vedere, ai lati della strada non c'erano pedoni. Era quasi sul punto di rientrare nel bar per spiegare l'accaduto e magari telefonare alla polizia quando, guardando attraverso il finestrino, notò un pezzo di carta sul sedile. Nancy aveva strappato un foglio dalla sua agenda e vi aveva scritto:

«Io proseguo in pullman. Buon viaggio!».

Ebbe di nuovo la tentazione di rientrare nel bar, questa volta per togliersi la voglia di bere in compagnia dello sconosciuto. Ma vedendo un gruppo di luci distanti circa cinquecento metri cambiò idea. Laggiù c'era un incrocio, e probabilmente anche la fermata dei pullman; sua moglie doveva essersi diretta da quella parte. Forse avrebbe fatto in tempo a raggiungerla.

Mise in moto e, procedendo lentamente, perlustrò entrambi i lati della strada che, per quanto l'oscurità permetteva di giudicare, era costeggiata da campi e terreni incolti.

Non vide nessuno. Arrivò all'incrocio e si fermò davanti a una caffetteria; dall'esterno si scorgevano le pareti di un bianco abbagliante, il bancone di metallo, due o tre avventori che mangiavano.

Entrò di corsa e chiese:

«Fermano qui i pullman?».

La padrona, una donna bruna e paciosa, stava preparando degli hot dog.

«Se è per Providence l'ha perso. È passato da cinque minuti».

«Ha visto per caso una donna piuttosto giovane, con un tailleur chiaro? No, aspetti, forse aveva un soprabito di gabardine...».

All'improvviso gli era venuto in mente che in macchina non c'era più il soprabito.

«Qui non è entrata».

Non si fermò a riflettere, uscì subito, in preda all'ansia, rendendosi conto di avere l'aspetto di un pazzo. Sulla destra partiva una strada, la via principale del paese, dove un negozio di mobili esponeva nella vetrina illuminata un letto con una sovraccoperta di raso blu. Non pensò di domandare dove si trovava né di consultare la carta, saltò in macchina, partì sgommando e si lanciò sulla strada bagnata.

In genere i pullman non superano le cinquanta miglia all'ora, si disse, e dunque poteva raggiungerlo e seguirlo fino alla fermata successiva, dove avrebbe chiesto a Nancy di risalire in auto, a costo di cederle il volante, se lo avesse desiderato.

Aveva torto. Ma pure Nancy, anche se non lo avrebbe mai ammesso e, come sempre, alla fine sarebbe toccato a lui chiedere scusa. Azionò i tergicristalli e spinse sull'acceleratore; il vento che entrava dai finestrini abbassati gli scompigliava i capelli, scivolandogli quasi gelido sulla nuca.

In quei momenti, mentre teneva lo sguardo puntato davanti a sé alla ricerca dei fari posteriori del pullman, forse gli capitò anche di parlare da solo. Superò dieci, quindici auto, costringendone almeno due a scartare bruscamente al suo passaggio. Vedere il tachimetro toccare le settanta miglia gli dava una sorta di esaltazione, e quasi quasi si augurò che un poliziotto in motocicletta si lanciasse al suo inseguimento; si immaginava già la scena in cui spiegava che doveva raggiungere a ogni costo sua moglie, e i bambini che li aspettavano nel Maine. In circostanze simili non si aveva forse il diritto di commettere un'infrazione?

Oltrepassò un altro incrocio illuminato fiancheggiato da pompe di benzina, da dove partivano due strade. A prima vista erano della stessa importanza. Ne imboccò una a caso senza rallentare, e solo dopo una quindicina di miglia si rese conto di essersi smarrito ancora una volta.

Poco prima, lo avrebbe giurato, si trovava nel Rhode Island. Com'è che era tornato indietro? Non ci capiva niente, ma ormai era chiaro che aveva preso la direzione opposta: ora i cartelli indicavano la città di Putman, nel Connecticut.

Ormai era inutile gareggiare in velocità con il pullman: Steve aveva tutto il tempo che voleva. Tanto peggio per Nancy, se era furibonda. E tanto peggio anche per lui. Tanto peggio per tutti e due!

Fu tentato di cercare il bar di prima, ma era praticamente impossibile. Del resto più avanti ne avrebbe trovati quanti ne voleva, dove potersi fermare senza l'obbligo di dare spiegazioni, visto che ora era per così dire senza legami.

Gli dispiaceva solo di non essere riuscito a parlare con l'uomo che gli aveva sfiorato la spalla e gli aveva offerto il rye. Continuava a pensare che si sarebbero capiti. Non solo avevano la stessa età, ma anche la stessa corporatura, la carnagione chiara e i capelli biondi; perfino le loro lunghe dita ossute dalle unghie quadrate si assomigliavano.

Gli sarebbe piaciuto sapere se quell'uomo era nato come lui in città o se era cresciuto in campagna.

L'altro aveva più esperienza di lui, doveva ammetterlo. Senza dubbio non era sposato o, se lo era, non si preoccupava troppo della moglie. Chi poteva saperlo? Steve non si sarebbe meravigliato che avesse anche dei figli, ma li aveva piantati con la madre.

Doveva avere una storia di questo genere. E in ogni caso non si preoccupava certo di arrivare in ufficio alle nove in punto e, la sera, di rientrare in tempo perché la baby-sitter potesse tornarsene a casa.

A lui, invece, quando Bonnie e Dan non erano al campeggio, ovvero la maggior parte dell'anno, toccava tornare per primo e occuparsi di loro. Perché Nancy in ufficio ricopriva un incarico di fiducia, era il braccio destro del signor Schwartz, della ditta Schwartz & Taylor, il quale la mattina arrivava in ufficio alle dieci o alle undici, quasi ogni giorno aveva una colazione d'affari, e poi continuava a lavorare fino alle sei o alle sette di sera.

L'uomo del bar aveva intuito tutto ciò? Glielo si leggeva in faccia? La cosa non lo avrebbe stupito. Dopo anni di una vita simile il suo viso doveva essere un libro aperto.

E che dire dell'auto? Era già qualcosa che fosse intestata a lui, ma la sera era la moglie a servirsene per tornare a Scottville. E sempre per delle buone ragioni! Per via delle sue importanti mansioni per il signor Schwartz, così importanti che quando, dopo la nascita dei bambini, Steve le aveva chiesto di restare a casa, si era scomodato lo stesso Schwartz, che era venuto a trovarli per tentare di convincere Nancy a tornare in ufficio.

Steve invece era libero alle cinque precise. Poteva precipitarsi verso la metropolitana di Lexington Avenue, intrupparsi in qualche modo tra la folla, scendere di corsa a Brooklyn per prendere al volo l'autobus che lo scaricava vicino a casa.

In tutto quarantacinque minuti, dopo di che trovava Ida, la negra che si occupava dei bambini al loro ritorno da scuola, con il cappello già in testa. Il tempo doveva essere prezioso anche per lei. Il tempo di tutti era prezioso. Tranne il suo.

«Pronto, sei tu? Farò tardi anche stasera. Non aspettarmi prima delle sette, sette e mezzo. Puoi preparare tu la cena ai bambini e metterli a letto?».

Ora percorreva la strada numero 6, a una decina di miglia scarse da Providence; dovette rallentare perché si imbatté in un corteo di macchine. Che cosa stavano pensando tutti quegli uomini al volante? La maggior parte aveva accanto una donna. Altri, dei bambini addormentati sul sedile posteriore. Gli sembrò di cogliere in tutti quei volti la cupa stanchezza delle sale d'aspetto; di tanto in tanto sentiva un'ondata di musica o la voce impostata di uno speaker.

Da parecchio i tergicristallo funzionavano senza motivo, e a entrambi i lati della strada si moltiplicavano i distributori di benzina e i ristoranti, via via sempre più vicini l'uno all'altro fino a formare una ghirlanda quasi ininterrotta di luci spezzata soltanto da qualche tratto buio di due o tre miglia.

Aveva voglia di un bicchiere di birra gelata, ma proprio perché nulla ormai lo tratteneva voleva scegliere con cura il posto dove fermarsi. Scartò i locali troppo nuovi e le insegne eccessivamente eleganti, perché l'ultimo bar gli aveva lasciato una specie di nostalgia e avrebbe desiderato trovarne uno dello stesso genere.

Un'auto della polizia lo superò a sirene spiegate, seguita da una prima ambulanza, poi da una seconda; poco oltre dovette rallentare e mettersi in coda, a passo d'uomo, a causa di un incidente: due macchine si erano letteralmente arrampicate l'una sull'altra.

Passando, intravide un uomo in camicia bianca come lui, come il suo amico del bar, con i capelli in disordine e il viso rigato di sangue, che spiegava qualcosa ai poliziotti, tendendo il braccio verso un vago punto dello spazio.

Quanti morti avevano previsto gli esperti per il week-end? Quattrocentotrentacinque. Se ne ricordava, dunque non era ubriaco. E la prova era che aveva guidato a settanta miglia all'ora senza il più piccolo incidente.

Nella soffocante penombra del pullman in cui i passeggeri dormivano pesantemente, Nancy si stava certo pentendo della sua decisione. Aveva una certa ripugnanza a mescolarsi alla folla. Era sicuramente infastidita dall'odore di umanità non meno che dalla promiscuità dei vicini. Nell'ultimo bar si sarebbe sentita a disagio. In fondo forse era un po' snob.

Preferì procedere ancora per un paio di miglia dopo l'ingorgo causato dall'incidente, poi rallentò e a lato della strada, quasi affiancati l'uno all'altro, notò due locali, un ristorante dalla facciata ricoperta di decorazioni, con un'insegna al neon color malva, e, dopo uno spiazzo utilizzato come parcheggio, un fabbricato di legno a un solo piano stile *log cabin.*

Scelse quest'ultimo. Si premurò di portar via la chiave e di spegnere i fari, prova ulteriore che non era ubriaco.

A prima vista il bar non era squallido come il precedente e l'interno somigliava proprio a quello di una log cabin: pareti di legno annerite dagli anni, spesse travi al soffitto, boccali di stagno e di ceramica sulle mensole, fucili del periodo della Rivoluzione appesi a mo' di trofeo.

Il proprietario, un omino tondo e calvo con un grembiule bianco, parlava con un leggero accento tedesco. Da una botte la birra veniva servita alla spina in enormi boccali con il manico.

Gli ci volle un po' di tempo per trovare posto al banco, poi senza parlare indicò la spina e cominciò a guardarsi attorno come se cercasse qualcuno.

E forse cercava davvero qualcuno, senza saperlo. Qui non c'era il televisore, ma un juke-box luminoso, giallo e rosso, i cui lucenti ingranaggi manovravano i dischi con affascinante lentezza. Nonostante la musica, dietro il banco era accesa anche una radiolina, probabilmente a uso esclusivo del proprietario, che si chinava ad ascoltare appena aveva un momento libero.

Steve bevve la birra a grandi sorsi, come un assetato, si asciugò le labbra con il dorso della mano e subito dopo, senza esitare, disse:

«Un rye!».

La birra non sapeva di niente. Aveva voglia di ritrovare il sapore oleoso del whisky irlandese che ogni volta gli dava il voltastomaco. Appoggiò un gluteo su uno sgabello e i gomiti sul banco, ritrovandosi nella stessa posizione che aveva lo sconosciuto dell'ultimo bar.

Anche i suoi occhi erano azzurri, di un azzurro un po' meno chiaro, le spalle altrettanto larghe, con lo stesso rigonfiamento della camicia all'altezza dei bicipiti.

Ora non aveva fretta di bere e con un orecchio ascoltava quel che dicevano i due uomini alla sua destra. Erano brilli, più o meno come tutti là dentro; di tanto in tanto, da qualche angolo si levava uno scoppio di risa, oppure si sentiva il fracasso di un bicchiere che cadeva sul pavimento.

«Gli ho detto che a dodici dollari la tonnellata mi prendeva per un coglione e quando ha capito che non scherzavo mi ha guardato nel bianco degli occhi, così, e...».

Tonnellate di che cosa? Steve non lo seppe mai. Non c'era niente in quella conversazione che gli permettesse di indovinarlo e nemmeno l'uomo che ascoltava sembrava interessarsene, intento com'era a cogliere qualche frammento di ciò che trasmetteva la radio. Un altro notiziario. L'annunciatore faceva il bilancio degli incidenti, uno dei quali provocato da un albero caduto sul tetto di un'auto a causa di un fulmine.

Si parlò di politica, ma Steve non ascoltò. Tutt'a un tratto gli era venuta voglia di toccare la spalla del suo vicino di sinistra e dire, come aveva fatto il suo compagno di poco prima, magari con la stessa voce, con la stessa espressione impenetrabile:

«Questo giro lo offro io, amico!».

Anche il suo vicino era un solitario. Soltanto che, diversamente dall'altro, non sembrava ubriaco e davanti a sé aveva un bicchiere di birra pieno per tre quarti.

Questo qui era diverso. Bruno, con un viso allungato dal colorito opaco, occhi scuri, aveva dita magre e straordinariamente articolate di cui di tanto in tanto si serviva per togliere la sigaretta dalle labbra. Quando Steve era entrato gli aveva lanciato un'occhiata e aveva subito distolto lo sguardo.

L'uomo spense la sigaretta e tirò fuori il pacchetto per prenderne un'altra. Si accorse che era vuoto, e si allontanò dal banco dirigendosi verso il distributore automatico.

In quel preciso momento Steve notò che calzava scarpe troppo grandi, imbrattate di fango, scarpe grosse da contadino poco in sintonia con il suo aspetto. Non indossava né giacca né cravatta, ma solo una camicia di cotone blu e un paio di pantaloni scuri trattenuti da una spessa cintura.

Nonostante quei piedi pesanti camminava come un gatto e riuscì ad andare e tornare senza sfiorare nessuno; si sedette di nuovo sullo sgabello, con una sigaretta fra le labbra, e gettò un breve sguardo a Steve, che aprì la bocca per rivolgergli la parola.

Aveva bisogno di parlare con qualcuno. Dato che Nancy aveva voluto così, quella era la sua notte, un'occasione che forse non si sarebbe mai più presentata. Per sapere che ne era di Nancy doveva cacciarsi in testa, fintanto che era ancora lucido, di telefonare ai Keane verso le cinque o le sei del mattino. A quell'ora la moglie sarebbe stata senz'altro già al campeggio. Come gli ultimi due anni, avevano chiamato i Keane per farsi riservare una stanza o almeno un letto in un bungalow, perché durante il week-end del Labor Day sarebbe stato impossibile trovare da dormire nei dintorni. Nei dintorni e anche altrove. Era così dappertutto, da un capo all'altro degli Stati Uniti.

«Quarantacinque milioni di macchine!» borbottò in tono beffardo.

Lo aveva fatto apposta, per attirare l'attenzione del vicino.

«Quarantacinque milioni di uomini e donne in giro per le strade!».

All'improvviso gli sembrava quasi di aver fatto una scoperta e ora ci pensava seriamente guardando il giovanotto bruno alla sua sinistra.

«Uno spettacolo simile non lo si vede da nessun'altra parte del mondo! Quattrocentotrentacinque morti entro lunedì sera!».

E finalmente fece il gesto che tanto desiderava fare, toccò discretamente la spalla dell'uomo.

«Beve un bicchiere con me?».

L'altro si voltò verso di lui senza darsi la pena di rispondere, ma Steve non ci fece caso e chiamò il padrone che era chino sulla radiolina.

«Due!» disse mostrando due dita.

«Due di che?».

«Gli chieda cosa prende».

Il giovanotto scosse la testa.

«Due rye!» insistette Steve.

Non era offeso. Nemmeno lui, poco prima, aveva risposto subito all'offerta dello sconosciuto.

«Sposato?».

L'uomo non aveva la fede al dito, ma questo non significava niente.

«Io ho moglie e due figli, una ragazzina di dieci anni e un bambino di otto. Sono tutti e due al campeggio».

Il suo interlocutore era troppo giovane per avere figli di quell'età. Non doveva avere più di ventitré o

40

ventiquattro anni. Probabilmente non era nemmeno sposato.

«New York?».

Un risultato lo ottenne, dato che l'altro scosse la testa in segno di diniego.

«Sei di queste parti? Providence? Boston?».

Un gesto più vago, ma nemmeno questo affermativo.

«Il bello è che in realtà il rye non mi piace. A te piace, il rye? Mi chiedo se ci sia qualcuno a cui il rye piaccia veramente».

Steve, che aveva appena vuotato il suo bicchiere, indicò quello del vicino, intatto.

«Non bevi? Fa niente. Questo è un paese libero! Non me la prendo. Un'altra sera, forse nemmeno io berrei per tutto l'oro del mondo. Ma stanotte mi dedico al rye. È così. In fondo è colpa di mia moglie».

In un barlume di lucidità si rese conto che in un altro momento avrebbe sicuramente evitato la compagnia di un uomo che avesse parlato in quel modo e se ne vergognò.

Ma subito dopo si convinse nuovamente che quella era la notte della sua vita e doveva assolutamente spiegarlo al suo compagno dal volto tirato.

In effetti, forse non beveva perché era malato. Aveva un colorito grigiastro e il labbro inferiore gli tremava per una specie di tic che, di tanto in tanto, faceva oscillare la sigaretta. Steve si chiese perfino se non fosse un drogato.

Il che lo avrebbe deluso. La droga lo spaventava, che fosse marijuana o eroina; osservava sempre con imbarazzo misto a diffidenza una cliente di Louis, una donna graziosa e anche molto giovane che lavorava come modella e passava per essere una tossicomane.

«Se non sei sposato forse non ti sei mai posto il problema. Eppure si tratta di una questione capitale. Parliamo di cose che crediamo importanti e poi non osiamo toccare questo argomento. Guarda mia moglie, per esempio. Ho o non ho ragione...?».

Era partito male, aveva perso il filo del ragionamento. Non aveva nemmeno sfiorato il punto fondamentale, che riguardava le donne, certo, ma solo indirettamente. Quello che cercava di spiegare era così complicato e sottile che disperava di riuscirci.

In certi momenti gli venivano in mente dieci frasi, dieci pensieri contemporaneamente, tutti con un posto preciso nel ragionamento, ma non appena provava a dire qualche parola si rendeva conto che era un compito quasi impossibile.

Si sentiva scoraggiato.

«Un altro, capo!».

Trattenne a stento la rabbia vedendo che il proprietario esitava a servirlo.

«Ho forse l'aria di un ubriaco? Le sembro uno capace di scatenare una rissa? Sto parlando tranquillamente con questo giovanotto, senza alzare la voce...».

Il proprietario gli versò da bere e Steve si lasciò sfuggire un sorrisetto di soddisfazione.

«Ora va meglio! Cosa stavo dicendo? Stavo parlando delle donne e dell'autostrada. Ecco il punto. Ricordatelo: le donne sono contro l'autostrada, capisci. Seguono i binari, loro! Benissimo! Sanno dove andare. Fin da ragazzine sanno già dove vogliono arrivare e quando le baci nel riaccompagnarle a casa stanno già pensando al vestito da sposa. Non è così?

«Bada che non voglio parlar male di loro. Riconosco soltanto una legge naturale.

«Le donne e i binari.

«Gli uomini e l'autostrada.

«Perché gli uomini, qualsiasi cosa facciano, è quel che hanno qui...».

Si batté il petto con convinzione e improvvisamente si smarrì nei meandri del suo ragionamento. Soprattutto non gli venivano le parole.

«Gli uomini...» ripeté facendo uno sforzo.

Avrebbe voluto spiegare di che cosa hanno bisogno gli uomini, di che cosa le donne li privano perché non capiscono. Il difficile veniva adesso. Il punto non era poter bere un certo numero di rye, come avrebbe commentato ironicamente Nancy. Il rye non aveva nessuna importanza. In una notte come quella, per esempio, una indimenticabile notte in cui c'erano quarantacinque milioni di macchine in giro per le strade, l'importante invece era capire, e per capire era indispensabile uscire dai binari.

Come quando era entrato nel bar di prima! Dove, se non là, avrebbe potuto incontrare un uomo come quello che aveva conosciuto, al quale non aveva avuto bisogno di spiegare nulla? Certo non nel suo ufficio. Alla World Travellers, dove lavorava, si vendevano miglia, miglia aeree, viaggi in aerei di lusso, biglietti per Londra, Parigi, Roma e Il Cairo. Per ogni angolo della terra. I clienti avevano sempre fretta. Per tutti era indispensabile e assolutamente vitale partire immediatamente. Ma neppure da Schwartz & Taylor, che vendevano pubblicità, pagine di riviste, minuti di réclame alla radio o alla televisione e spazi sui cartelloni lungo le strade.

E nemmeno nel bar di Louis, dove alle cinque clienti come lui venivano a tirarsi su con un martini secco.

All'improvviso gli venne voglia di un martini, ma era sicuro che il proprietario glielo avrebbe rifiutato, e non voleva ricevere un rifiuto davanti al suo nuovo amico.

«Vedi, c'è chi ne esce e chi no. Tutto qua!».

Stava sempre parlando dei binari. Non serviva più precisare. E preferiva evitare parole inutili, forse perché erano difficili da pronunciare.

«Io, stasera, ne sono uscito».

Il suo compagno precedente doveva esserne uscito definitivamente. E forse anche il tizio che parlava al telefono in modo misterioso, coprendosi la bocca con la mano, nel primo bar.

E quest'uomo che aveva davanti? Steve moriva dalla voglia di chiederglielo e gli faceva l'occhiolino per incoraggiarlo a parlare di sé. Nonostante le grosse scarpe, si vedeva che non lavorava né in una fattoria né in un ufficio. Magari viveva per strada, con le tasche vuote, facendo l'autostop. E chissà se capiva che in questo non c'era niente di cui vergognarsi, anzi!

«Domani rivedrò i miei figli».

Dicendo questo si sentì invadere da un'ondata di commozione che gli serrò la gola; tutt'a un tratto gli sembrava di tradire Bonnie e Dan, perciò si sforzò di figurarseli nella mente, ma poiché ne ottenne solo un'immagine sbiadita tirò fuori il portafogli dalla tasca per guardare le fotografie che portava sempre con sé.

Non era riuscito a dire quello che voleva. Li amava moltissimo, non era pentito di quello che faceva per loro, ma ciò che tentava disperatamente di spiegare era che lui era un uomo e quindi...

Mentre infilava le dita sotto la patente per prendere le foto e teneva la testa bassa il suo compagno posò una moneta sul banco e se ne andò. Lo fece così in fretta, come scivolando, che per un attimo Steve non capì cosa era accaduto.

«È andato via?» chiese rivolto al proprietario.

«Sì, per fortuna!».

«Lo conosce?».

«Non ci tengo proprio».

Fu sorpreso che anche il proprietario di un bar come quello seguisse dei binari. Nonostante avesse bevuto, e l'altro invece per niente – non aveva nemmeno finito la birra –, solo lui veniva trattato con una certa considerazione, sicuramente perché gli si leggeva in faccia che era un uomo rispettabile e beneducato.

«Sono i suoi bambini?» si informò il proprietario.

«Mio figlio e mia figlia».

«Va a prenderli in campagna?».

«Al campeggio Walla Walla, nel Maine. Ci sono due campeggi vicini, uno per i ragazzi e l'altro per le ragazze. La signora Keane si occupa di quello delle ragazze, mentre Hector, il marito, che sembra un vecchio boy-scout...».

Ma a quel punto il padrone del bar non lo ascoltava più, distratto com'era dalla radio: aggrottando le folte sopracciglia girava le manopole nel tentativo di ottenere un segnale migliore e di tanto in tanto lanciava sguardi furenti verso il juke-box, che con la sua musica sovrastava tutto il resto.

«... è riuscito, non si sa ancora come, a sfuggire uno dopo l'altro a tre posti di blocco; verso le undici è stato segnalato sulla strada numero 2 mentre a bordo di una vettura rubata andava in direzione nord...».

«Di chi parlano?» chiese Steve.

La radio continuò:

«Attenzione. È armato».

Poi:

«Il prossimo notiziario andrà in onda alle due».

Cominciarono a trasmettere musica.

«Di chi parlano?» insistette, senza motivo.

«Del tizio che è fuggito da Sing Sing e ha chiuso la ragazzina in uno sgabuzzino con una tavoletta di cioccolato».

«Quale ragazzina?».

«La figlia dei fattori di Croton Lake».

Il proprietario aveva l'aria preoccupata e non badava più a lui, ma cercava con gli occhi qualcuno un po' più sobrio con cui parlare. Si diresse verso un tavolo all'angolo dove erano seduti a bere birra due uomini e due donne di una certa età, che dall'aspetto sembravano imprenditori edili.

A causa della musica Steve non sentiva quello che

dicevano. Indicarono lo sgabello vuoto di fianco a lui; una delle donne, seduta vicino al distributore di sigarette, parve ricordarsi improvvisamente di qualcosa; il proprietario ascoltò il suo racconto scuotendo la testa, guardò indeciso il telefono a muro e alla fine si avvicinò a Steve Hogan.

«Lei non ha notato niente?».

«Che cosa avrei dovuto notare?».

«Ha visto per caso se aveva un tatuaggio su un polso?».

Steve non riusciva a seguire e si sforzava di capire cosa volevano da lui.

«Chi?».

«Il tizio a cui lei ha offerto da bere».

«Non ha accettato. Ma non mi sono offeso».

A quel punto il proprietario alzò le spalle e lo guardò in un modo che non gli piacque. Tanto valeva andarsene, ora che non gli avrebbe più servito da bere e non c'era più nessuno con cui parlare.

Posò un biglietto da cinque dollari sul bancone, giusto sul bagnato, si alzò barcollando e disse:

«Tenga il resto!».

E intanto controllava che nessuno lo guardasse di traverso, perché non lo avrebbe sopportato.

3

Quando con passo lento, come al rallentatore, si avviò verso la porta, sulle labbra aveva il sorriso benevolo e protettivo del forte in mezzo ai deboli. Si sentiva un gigante. Poiché due uomini che si parlavano all'orecchio dandogli le spalle gli impedivano di passare, li scostò con un ampio gesto; sebbene fossero entrambi alti quanto lui, gli parve di sopravanzarli di tutta la testa. I due non protestarono nemmeno. Steve non voleva attaccar briga con loro né con nessun altro, e non era per sfida che, una volta giunto alla porta, si voltò e rimase un attimo immobile a guardare la sala.

Con tutta calma si accese una sigaretta. Si sentiva bene. Anche l'aria di fuori era buona, piacevolmente fresca; il pretenzioso ristorante lì accanto, con la facciata disegnata da una ghirlanda di luci, gli sembrò ridicolo; le auto sfrecciavano sulla strada levigata producendo tutte lo stesso rumore. Si avvicinò alla macchina, che aveva lasciato nella parte buia del parcheggio, e aprì la portiera; i suoi gesti erano sorprendentemente pacati, e gli procuravano, come tutto ciò che vedeva, un'intima soddisfazione.

Appena entrò in macchina vide l'uomo, seduto al posto che avrebbe dovuto occupare Nancy. Nonostante l'oscurità riconobbe subito l'ovale allungato del viso, gli occhi scuri, e non si spaventò di trovarlo là, né di tutto ciò che da quella presenza poteva derivare.

Anziché indietreggiare, esitare o magari mettersi sulla difensiva, Steve si sistemò comodamente, tirandosi un po' su l'orlo dei pantaloni come faceva sempre, allungò il braccio e chiuse con forza lo sportello, poi abbassò la sicura.

Non aspettò che lo sconosciuto aprisse bocca per dire, in tono più da conversazione che da domanda:
«Sei tu?».

Quelle due parole non avevano il loro normale significato. Ora Steve si sentiva molto al di sopra della realtà quotidiana, in una sorta di iperrealtà, perciò faceva economia di parole, sicuro di se stesso e di essere capito.

Dicendo «Sei tu?» non aveva chiesto al compagno se era la stessa persona alla quale, al bar, aveva offerto da bere, e l'altro aveva capito benissimo. La domanda in realtà significava:
«Sei tu l'uomo che stanno cercando?».

Nella sua mente le cose erano perfino più chiare. Non sarebbe mai riuscito a esprimerlo, ma in due parole aveva sintetizzato le immagini sparse, accumulate quasi senza accorgersene nel corso della serata, facendone un insieme coerente e di illuminante semplicità.

Era orgoglioso del suo acume, così come della sua capacità di mantenere la calma, del modo in cui infilava la chiave di accensione con mano ferma, aspettando, per girarla, la risposta dell'altro.

Nessuna umiltà. Non voleva mostrarsi umile. E neanche indignato, come avrebbero potuto fare il proprietario del bar o una donna del genere di Nancy. Né intendeva mostrarsi spaventato. Non aveva paura. Capiva. Ma anche l'altro capiva e lo rispettava, e infatti non protestò, non negò, ma giocò a carte scoperte:

«Mi hanno riconosciuto?».

Così aveva sempre immaginato un dialogo fra due veri uomini che si incontrano per strada. Nessuna parola inutile. Ogni frase valeva quanto un lungo discorso. La maggior parte della gente parla troppo. Ma Steve, nel primo bar, non aveva avuto bisogno di grandi discorsi per far capire al suo vicino che lui non era il mediocre impiegato che poteva sembrare.

E adesso un altro sconosciuto aveva scelto proprio la sua macchina. La radio aveva appena detto che era armato. Provava il bisogno di puntargli contro quell'arma? Si mostrava forse minaccioso?

«Credo che il proprietario sospetti qualcosa» gli disse Steve.

Stranamente ora ricordava dettagli che credeva di non aver colto. Sapeva perfettamente che si trattava di un evaso da Sing Sing. Il nome lo aveva dimenticato, ma per i nomi non aveva memoria, a differenza dei numeri, in particolare quelli di telefono. Ricordava solo che finiva in -gan, come il suo.

In qualche modo c'entravano anche una fattoria nei pressi di un lago e una bambina rinchiusa in un ripostiglio con una tavoletta di cioccolato. Aveva ben presente la sua fotografia, che avevano mostrato alla televisione.

Avevano fatto vedere anche la vetrina sfondata di un negozio e avevano parlato della strada numero 2. Non era così, forse?

Se fosse stato ubriaco non avrebbe certo ricordato tutto questo.

«Che segni particolari hanno dato?».

«Hanno parlato di un tatuaggio».

Steve aspettava con pazienza che l'altro gli dicesse di mettere in moto ed era come se per tutta la vita avesse previsto quel momento. Era soddisfatto non solo della fiducia che gli concedeva, ma anche del proprio modo di comportarsi.

Poco prima non aveva forse detto che quella sarebbe stata la sua notte?

«Sei in grado di guidare?».

Per tutta risposta Steve accese il motore chiedendo a sua volta:

«Prendo strade di campagna per aggirare Providence?».

«Segui l'autostrada».

«E se la polizia...».

L'uomo si sporse sul sedile posteriore, e prese la giacca a quadri scuri di Steve e il suo cappello di paglia che vi trovò. Indossò la giacca, che gli stava larga di spalle, e si rannicchiò nel suo angolo come un passeggero addormentato, con il cappello calato sul volto.

«Non superare i limiti di velocità».

«Capito».

«E soprattutto non passare con il rosso».

Per non farsi inseguire, evidentemente.

Fu Steve a chiedere:

«Com'è che ti chiami?».

«Sid Halligan. Non lo hanno ripetuto a sufficienza in tutte le trasmissioni?».

«Di' un po', Sid, se incontriamo un posto di blocco...».

Manteneva la velocità di quarantacinque miglia come le auto delle famiglie che passavano loro accanto, cariche di bagagli fino al tetto.

«Farai quello che fanno gli altri».

Non si era mai trovato in una situazione simile, eppure non aveva bisogno di spiegazioni. Sentiva di avere la stessa lucidità del suo primo compagno di bevute, quello con gli occhi azzurri che gli assomigliava.

Innanzitutto, in una notte come quella, non potevano fermare tutte le automobili che giravano per le strade del New England, e controllarne i passeggeri a uno a uno, senza creare un gigantesco ingorgo. Al massimo avrebbero gettato un'occhiata all'interno delle macchine, soprattutto se a bordo c'era un uomo solo.

E loro erano in due.

«È evidente!» commentò Steve.

Avrebbe ripreso la conversazione più tardi, dopo Providence. Non si era sbagliato, alla log cabin, a non fare caso al silenzio del compagno. Questi infatti lo trattava ora con naturalezza, come un amico.

Doveva tenere gli occhi fissi sulla strada. Il traffico che veniva in senso opposto era più intenso. Gli incroci si infittivano e in lontananza apparivano le luci di una grande città.

«Conosci la strada?» chiese la voce nell'ombra.

«L'ho fatta almeno dieci volte».

«Se trovi un posto di blocco...».

«Lo so, me l'hai già detto».

«Immagino tu sappia anche quel che succederebbe se ti passasse per la testa di...».

Perché insisteva? Non valeva nemmeno più la pena di tenere la mano in tasca probabilmente stretta sul calcio della rivoltella.

«Non fiaterò».

«Bene».

Sarebbe stato deluso di non incontrare posti di blocco. Ogni volta che vedeva delle luci ferme sulla strada pensava che fosse finalmente arrivato il momento, ma le cose andarono in modo completamente diverso dal previsto: ben presto le auto cominciarono a procedere sempre più ravvicinate, fino quasi a toccarsi e infine a bloccarsi del tutto. Fino a dove si riusciva a vedere non c'era altro che una lunga fila di veicoli fermi; di tanto in tanto la coda avanzava di qualche metro, per poi fermarsi di nuovo.

«Ci siamo».

«Sì».

«Nervoso?».

Si pentì di aver usato quella parola, che non ebbe risposta. A un certo punto, poiché la coda si era fermata davanti a un bar, gli venne la tentazione di entrare di corsa a bersi un bicchiere, ma non osò proporlo all'altro.

Nonostante l'aria fresca aveva cominciato a coprirsi di uno sgradevole sudore; le sue dita tamburellavano sul volante. Immobile nel suo angolo, protetto dall'ombra, Halligan fingeva di dormire, ma a tratti veniva violentemente investito dalle luci di una stazione di servizio o di un albergo. Malgrado il viso oblungo, la testa era più grossa di quanto si potesse immaginare; infatti il cappello di Steve, che pure era convinto di avere un cranio piuttosto voluminoso, gli andava a pennello.

«Sigaretta?».

«No».

Steve ne accese una. La mano gli tremava come quella dell'uomo del primo bar, ma per lui, ne era sicuro, si trattava solo di nervosismo, o meglio di impazienza. Non aveva paura, desiderava soltanto che passasse tutto in fretta.

Ora si poteva vedere come era stato organizzato il posto di blocco. La coda era provocata da alcune transenne bianche messe di traverso, che consentivano il passaggio di una sola fila di macchine per senso di marcia; in realtà i veicoli, giunti all'altezza delle transenne, non si fermavano del tutto, ma procedevano a passo d'uomo, mentre poliziotti in divisa davano un'occhiata attraverso i finestrini.

Dopo Providence sarebbe andato tutto liscio, perché non avrebbero certamente esteso le ricerche così lontano.

«Che cosa è successo alla bambina?».

Dall'auto che li precedeva, dove una donna teneva la testa sulla spalla del guidatore, giungeva il suono della radio.

Halligan non rispose. Non era il momento. Steve sarebbe tornato sull'argomento più tardi. E avrebbe anche ripreso il discorso iniziato alla log cabin. E se anche un uomo come Sid non avesse capito, nessun altro avrebbe potuto farlo.

Si chiedeva se Sid fosse sempre stato così. Forse per lui era naturale esserlo, non doveva fare nessuno sforzo. Doveva essere stato piuttosto povero. E quando uno ha trascorso l'infanzia in un quartiere popoloso, vivendo in un'unica stanza con tutta la famiglia e facendo già parte di una banda fin dall'età di dieci anni, viene per forza più facile.

Forse nemmeno Halligan se ne rendeva conto.

«Va' avanti».

Poi, siccome si erano fermati di nuovo:

«Quanta benzina abbiamo?».

«Mezzo serbatoio».

«Quanta strada ci si può fare?».

«Più o meno centocinquanta miglia».

Ora sì che avrebbe avuto bisogno di un rye per mantenersi al livello raggiunto. A momenti, il suo benessere, la padronanza di sé che aveva dimostrato minacciavano di abbandonarlo; cominciavano a venirgli in mente pensieri brutti, spiacevoli, come per esempio l'idea che, se li avessero arrestati tutti e due, i poliziotti non avrebbero creduto alla sua innocenza e lo avrebbero torchiato a turno per ore, senza concedergli un bicchiere d'acqua o una sigaretta. Gli avrebbero tolto la cravatta e i lacci delle scarpe. Avrebbero fatto venire Nancy per il riconoscimento.

Ormai fra la loro macchina e il posto di blocco restavano solo tre veicoli; Steve si sentiva le gambe molli, tanto che per un momento non riuscì a premere l'acceleratore per andare avanti.

«Cerca di non alitargli proprio in faccia» disse Halligan fra i denti, senza muoversi, continuando a fingere di dormire.

L'auto giunse all'altezza delle transenne e, vedendo che Steve stava per fermarsi, un poliziotto gli fece segno di andare avanti, di circolare, accontentandosi di dare un'occhiata sommaria all'interno. Era fatta. Davanti a loro si apriva, sgombra, la strada che attraversava la città.

«Ce l'abbiamo fatta!» esclamò Steve sollevato, accelerando fino a quaranta miglia orarie.

«A far cosa?».

«A passare».

«Guarda i cartelli, qui c'è il limite di trentacinque. Direzione Boston. Conosci la strada?».

«È quella che sto prendendo».

Passarono davanti a un locale notturno illuminato di rosso e a Steve tornò la sete, ma anche stavolta evitò di parlarne e si limitò ad accendersi una sigaretta.

«Che ti prende?».

«Perché?».

«Sei capace di guidare o no? Cerca di tenere la destra».

«Hai ragione».

Effettivamente all'improvviso, senza una ragione precisa, aveva cominciato a guidare svogliatamente. Fino al momento in cui avevano superato il posto di blocco si era sentito tranquillo, forte e sicuro di sé come all'uscita dalla log cabin. Ma adesso il suo fisico iniziava a dare segni di cedimento e le strade davanti a lui perdevano consistenza. A una curva scansò per un pelo il bordo del marciapiede.

Sentiva crescere la confusione anche in testa e si riprometteva, non appena avessero ripreso l'autostrada, di chiedere a Sid il permesso di fermarsi a bere qualcosa. Halligan si sarebbe fidato di lui? Non gli aveva fornito prove di lealtà a sufficienza?

«Sei sicuro di non avere sbagliato strada?».

«Poco fa ho visto una freccia che indicava Boston».

A un tratto si preoccupò:

«Dove vuoi andare?».

«Più lontano. Non è affare tuo».

«Io vado nel Maine. Mia moglie mi aspetta con i bambini».

«Tu pensa a guidare».

Avevano oltrepassato la periferia; ora ai lati della strada era rimasta soltanto la notte, e le rare auto viaggiavano a velocità sempre più sostenuta.

«Dobbiamo fare il pieno prima che chiudano le stazioni di servizio».

Disse di sì. Aveva voglia di fare al compagno una domanda, una sola:

«Ti fidi di me?».

Avrebbe tanto voluto che Sid si fidasse, che sapesse che lui non lo avrebbe tradito.

Invece disse:

«La maggior parte degli uomini ha paura».

«Di che?» rispose l'altro, che si era tolto il cappello e si stava accendendo una sigaretta.

Steve cercò la risposta. Avrebbe voluto rispondere con una sola parola, perché le uniche risposte vere sono quelle brevi. Gli sembrava così evidente che lo mandava in bestia non riuscire a spiegarsi.

«Non lo so» finì per ammettere.

E subito dopo, come se avesse avuto un colpo di genio:

«Non lo sanno neanche loro».

Sid Halligan, invece, non aveva paura. Forse non ne aveva mai avuta e per questo Steve lo teneva in grande considerazione.

Quell'uomo, che non era nemmeno tanto robusto, era solo, sicuramente senza un soldo, ricercato da quarantott'ore dalla polizia di tre Stati. Non aveva moglie, figli, casa, forse neanche amici, ma andava dritto per la sua strada nella notte; quando gli serviva una rivoltella spaccava la vetrina di un negozio e se la prendeva.

Gli capitava di chiedersi che cosa pensava la gente di lui? Al bar era rimasto coi gomiti appoggiati al banco, davanti a un bicchiere di birra che non aveva neppure toccato, in attesa di un'occasione per proseguire, pronto a filare via se per caso la radio avesse trasmesso di nuovo i suoi dati segnaletici e i vicini lo avessero guardato con sospetto.

«Quanto tempo dovevi farti a Sing Sing?».

Halligan ebbe un sussulto, non per la domanda, ma perché stava per addormentarsi e la voce di Steve glielo aveva impedito.

«Dieci anni».

«E quanti ne hai fatti?».

«Quattro».

«Eri un ragazzo quando ti hanno messo dentro».

«Diciannove anni».

«E prima?».

«Tre anni di riformatorio».

«Perché?».

«Furto d'auto».

«E i dieci anni?».

«Furto d'auto e rapina».

«A New York?».

«Per strada».

«Da dove venivi?».

«Missouri».

«Hai usato la pistola?».

«Se avessi sparato, mi avrebbero spedito sulla sedia elettrica».

Una volta, l'anno precedente, Steve aveva praticamente assistito a una rapina in pieno giorno, in Madison Avenue. O meglio, ne aveva visto l'epilogo. Di fronte al suo ufficio c'era il gigantesco portone di

56

una banca. Pochi minuti dopo le nove, mentre faceva le prime telefonate agli aeroporti, aveva sentito il suono assordante di una sirena proveniente dall'esterno: era l'allarme della banca. Per strada i passanti erano come impietriti, quasi tutte le macchine si erano fermate, mentre un agente in uniforme si era lanciato verso l'ingresso estraendo la pistola dalla cintura.

Dopo pochi istanti, un intervallo di tempo ridicolo, era ricomparso accompagnato da una guardia giurata della banca, e insieme spingevano davanti a loro due uomini giovanissimi, quasi dei ragazzi, con le manette ai polsi e le braccia davanti al viso. Da un negozio di macchine fotografiche era saltato fuori un tizio che si era messo a scattare delle istantanee, mentre come per incanto, quasi che la scena fosse stata preparata in anticipo, un'auto della polizia si era fermata di fianco al marciapiede a sirene spiegate.

Per un paio di minuti i due ragazzi erano rimasti là, isolati dalla folla, soli al centro di un enorme spazio vuoto, immobili nella stessa posizione, con il solenne portone come sfondo; quando finalmente li avevano portati via, Steve aveva pensato che per almeno dieci anni non avrebbero più rivisto una strada o un marciapiede. E ora gli veniva in mente che la cosa che più lo aveva colpito era l'idea che, per dieci anni, non sarebbero mai stati con una donna.

L'immagine della bambina nel ripostiglio lo faceva stare male perché gli ricordava Bonnie, sebbene sua figlia avesse ormai dieci anni.

«Perché l'hai chiusa là dentro?».

«Perché gridava e avrebbe allarmato i vicini. Avevo bisogno di tempo per allontanarmi dal paese. Non volevo legare anche lei come la madre, per paura di farle male. Ho trovato una tavoletta di cioccolato nella dispensa e gliel'ho data, poi l'ho spinta nel ripostiglio dicendole di non avere paura e ho chiuso a chiave. Non l'ho picchiata. Ho fatto il possibile per non spaventarla».

«E la madre?».

«Ecco una stazione di servizio aperta. Meglio fermarsi a fare il pieno».

Si calò di nuovo il cappello sul volto, si rannicchiò sul sedile e con un gesto automatico affondò una mano in tasca.

«Soldi ne hai?».

«Sì».

«Sbrigati».

Senza neanche guardarli, il benzinaio andò a svitare il tappo del serbatoio.

«Quanto?».

«Il pieno».

Rimasero in silenzio, immobili. Steve tese all'uomo un biglietto da dieci dollari.

«Non avresti per caso una bottiglia di birra fresca?».

Dal suo angolo, Sid non osò protestare.

«Birra non ne teniamo. Ma forse riesco a rimediare una fiaschetta di whisky».

Quando ebbe in mano la bottiglietta piatta Steve fu preso da un tale timore che il compagno gli impedisse di bere che la stappò immediatamente e attaccò le labbra al collo cercando di mandar giù quanto più liquido poteva in una sola sorsata.

«Grazie, amico. Tieni il resto».

«Andate lontano?».

«Nel Maine».

«A quest'ora la situazione comincia a migliorare».

Ripartirono. Dopo un po' Steve chiese:

«Ne vuoi un po'?».

Aveva lo stesso tono di voce che avrebbe usato con Nancy, come se si sentisse in colpa o credesse necessario scusarsi. Halligan non rispose. Ma certo, lui doveva evitare di bere. In primo luogo, sarebbe stato pericoloso ubriacarsi. E poi, lui non ne aveva bisogno.

Glielo avrebbe spiegato, pensò, qualunque cosa l'altro ne avesse pensato. Avevano tutto il tempo. La strada da percorrere era ancora lunga e, a quanto pareva, adesso fiancheggiata da foreste.

«Non ti capita mai di ubriacarti?».

«No».

«Ti fa male?».

«Non mi va».

«Perché non ne hai bisogno» affermò Steve.

Guardò il compagno e si accorse che non capiva. Doveva essere spossato. Nella penombra della macchina sembrava ancora più pallido che al bar e senza dubbio faceva un grande sforzo per non addormentarsi. Chissà se aveva chiuso gli occhi un momento da quando era fuggito dal penitenziario.

«Hai dormito?».

«No».

«Hai sonno?».

«Dormirò dopo».

«Di solito neanche io bevo. Solo un bicchiere a fine pomeriggio, con mia moglie, le volte che torniamo a casa insieme. Le altre sere non ne ho il tempo, per via dei bambini».

Gli pareva di aver già raccontato la storia dei figli che lo aspettavano e di Ida, la negra, che trovava quasi sempre già sulla soglia di casa con il cappello in testa, come se lo accusasse di arrivare in ritardo intenzionalmente. O forse aveva solo pensato di averlo detto... Ora che aveva una bottiglia a disposizione andava tutto bene.

La cercò con la mano sul sedile, non per bere ma per assicurarsi che fosse sempre al suo posto, ma la voce del compagno nell'ombra disse seccamente:

«No!».

Sid era ancora più categorico di Nancy.

«Guarda la strada».

59

« Ma la sto guardando ».

« Guidi male ».

« Vuoi che vada più veloce? ».

« Voglio che tu vada dritto ».

« Non ti fidi? Guido meglio quando ho bevuto un bicchiere ».

« Uno solo, forse ».

« Non sono ubriaco ».

Sid alzò le spalle e sbuffò con l'aria di chi non ha voglia di discutere. Steve si sentiva rodere. Quell'atteggiamento lo umiliava e cominciava a dubitare dell'intelligenza dell'altro.

Perché lo faceva guidare invece di prendere lui il volante, visto che non si fidava? Si diede subito la risposta, il che provava che il sorso di whisky bevuto alla stazione di servizio non lo aveva confuso.

Anche se non fossero incappati in un altro posto di blocco era sempre possibile che una pattuglia li fermasse per un normale controllo. E, va da sé, i poliziotti stanno sempre dal lato del conducente; come era accaduto a Providence, nessuno si sarebbe occupato del passeggero addormentato.

Iniziava a fare freddo. L'aria era umida. L'orologio dell'auto non funzionava più da mesi e, senza una precisa ragione, Steve non osava tirare fuori il suo dalla tasca. Non aveva idea di che ora fosse. Quando tentò di calcolare il tempo trascorso si confuse, aprì la bocca per dire qualcosa ma subito la richiuse.

Non sapeva cosa avrebbe voluto dire. Se avesse potuto fermarsi un attimo avrebbe preso l'impermeabile, che doveva essere sul sedile posteriore o nel bagagliaio; cominciava a rabbrividire con la sola camicia addosso e reclamare la sua giacca gli sembrava inopportuno.

« Dove conti di andare? ».

Forse non avrebbe dovuto fare quella domanda, che rischiava di suscitare la diffidenza di Halligan.

Fortunatamente l'altro non sentì perché, nonostante tutta la sua determinazione, alla fine si era addormentato e dalla bocca socchiusa usciva un soffio regolare, con un fischio leggero.

Steve tastò il sedile con la mano finché trovò la fiaschetta e con cautela la stappò con i denti. Poiché era quasi certo che l'altro non lo avrebbe più lasciato bere, in tre sorsi la vuotò fino all'ultima goccia, trattenendo il respiro, mentre una violenta vampata di calore gli saliva alle tempie offuscandogli la vista.

Tappò con cura la fiaschetta e la rimise a posto; aveva appena tolto la mano dal sedile quando l'auto sbandò e cominciò a sussultare. Steve riuscì a raddrizzare il volante in tempo lasciando l'acceleratore e pigiando progressivamente sul freno; dopo qualche altro sobbalzo l'auto si fermò sul ciglio della strada.

Era accaduto tutto in modo così rapido e inaspettato, e lui ne era stato così sorpreso, che non aveva fatto nemmeno caso a Sid Halligan e trasalì vedendo che ora gli stava puntando addosso la canna della pistola. Sul suo viso non si leggeva alcuna espressione: era solo una belva rannicchiata in un angolo pronta a scattare di fronte a una minaccia.

«Una gomma...» balbettò Steve con la fronte madida di sudore.

Non era tanto la rivoltella a spaventarlo, ma il fatto di riuscire a malapena a parlare. Aveva la lingua così impastata che la parola gomma gli era uscita dalle labbra in modo quasi incomprensibile. Cercò di spiegarsi:

«Abbiamo bucato... Non è colpa mia...».

Senza dire niente e senza abbassare la pistola, l'altro accese la luce del cruscotto, afferrò la fiaschetta e dopo averla guardata in controluce la lanciò fuori dal finestrino con aria disgustata.

«Scendi».

«Sì».

Non credeva che quel poco di alcol gli avrebbe fatto un effetto così immediato. Per scendere dovette aggrapparsi allo sportello aperto.

«Hai la ruota di scorta?».

«Nel bagagliaio».

«Sbrigati».

Si diresse verso il retro della macchina, con le gambe al tempo stesso rigide e malferme, ma adesso aveva la certezza che, se si fosse ostinato a rimanere in piedi, sarebbe crollato di schianto. Provava un tale senso di vertigine che chinarsi sarebbe stato pericoloso. Perfino la maniglia del cofano era troppo dura e complicata per lui, perciò toccò a Halligan girarla.

«Ce l'hai il cric?».

«Credo».

«Dove?».

Non lo sapeva. Non sapeva più niente. Qualche cosa in lui aveva definitivamente ceduto. Aveva voglia di sedersi sull'erba, di fianco alla strada, e di mettersi a piangere.

«Allora?».

Doveva resistere ad ogni costo. Halligan sarebbe stato capace di ucciderlo se non si fosse dato da fare. Erano completamente soli, a parte le rare auto che passavano ogni due o tre minuti a tutta velocità. Sopra di loro stormivano dolcemente le foglie degli alberi.

Gli automobilisti non facevano caso a una macchina ferma sul ciglio della strada né alle due figure che vedevano solo per un attimo alla luce dei fari.

Se avesse voluto, Halligan poteva ucciderlo senza problemi e trascinarne il corpo nel bosco dove non lo avrebbero trovato per giorni e giorni, specie se erano lontani da un centro abitato. Sid avrebbe forse esitato ad ammazzare qualcuno? Probabilmente no. Poco prima, parlando della bambina, aveva sostenuto di non averle fatto del male e di non aver voluto spaventarla. Ma alla madre che cosa aveva fatto? Adesso non avrebbe più osato chiederglielo, né avrebbe osato fargli nessun'altra domanda.

Teneva in mano il cric. La ruota bucata era quella posteriore destra; Sid gli stava accanto senza abbassare la rivoltella.

«Sai usarlo?».

«Sì».

Per non doversi chinare troppo si inginocchiò, si mise a quattro zampe tentando di inserire il cric al posto giusto; all'improvviso si sentì mancare e si afflosciò a terra, con le braccia in avanti, balbettando:

«Scusami».

Non perse conoscenza. Anzi, se non ci fosse stato Halligan con la rivoltella puntata, non sarebbe stata neanche una sensazione spiacevole. Di colpo si sentiva del tutto rilassato, come se la testa e il corpo gli si fossero svuotati e ora lui non dovesse fare più alcuno sforzo, perché sarebbe stato inutile e perciò non restava altro che lasciarsi andare e aspettare.

Stava forse per addormentarsi? Non aveva importanza. Solo una volta si era ritrovato in quello stato, a casa, una sera in cui avevano ricevuto degli amici e lui aveva vuotato i bicchieri di tutti. Quando era rimasto solo con Nancy si era lasciato cadere su una poltrona, allungando le gambe davanti a sé, e aveva sospirato con grande sollievo, sorridendo beatamente:

«Fat-to!».

Conosceva il seguito solo perché la moglie glielo aveva raccontato, e tuttavia aveva l'impressione di ricordare un certo numero di immagini. Nancy gli aveva fatto bere un caffè, che lui aveva rovesciato quasi tutto, poi gli aveva fatto annusare dell'ammoniaca. Lo aveva aiutato a mettersi in piedi, parlandogli con durezza, in tono autoritario, e siccome continuava a cadere aveva dovuto trascinarlo per le braccia, con le gambe che strisciavano sul tappeto.

«Non volevo che la mattina dopo i bambini ti trovassero sprofondato in una poltrona del salotto».

Era persino riuscita a spogliarlo e a infilargli il pigiama.

«Alzati, Steve. Mi senti? Devi alzare il sedere, non le spalle».

Halligan invece lo trascinò per un braccio fino al ciglio della strada, dove lo lasciò accasciarsi fra l'erba alta. Steve aveva gli occhi aperti. Non dormiva. Sapeva cosa stava accadendo, sentiva il compagno lanciare imprecazioni mentre armeggiava con il cric che cigolava.

A ogni modo era inutile farsi il sangue acido, dal momento che era in suo potere. Indifeso come un neonato. Quel termine lo faceva ridere. Lo ripeté fra sé due o tre volte. Indifeso! Si rese conto di avere la testa fra le ortiche e a fatica riuscì a mettersi seduto.

«Non ti muovere!».

Non tentò nemmeno di replicare. Era buffo, ma sapeva di non poter più parlare. Mosse ancora una volta le labbra, non senza difficoltà, ma ne uscì soltanto un sibilo soffocato.

Non aveva forse detto che quella doveva essere la sua notte? Peccato che Nancy non fosse là a vedere! Ma non avrebbe capito niente. D'altra parte se ci fosse stata lei non sarebbe accaduto nulla. E a quell'ora sarebbero già arrivati al campeggio.

Non sapeva che ora fosse. Ma non aveva più bisogno di saperlo. Nancy avrebbe esitato a svegliare la signora Keane. Che di nome faceva Gertrud. Da lontano si sentiva la voce del signor Keane chiamare attraverso il campeggio:

«Gertrud!».

Lui si chiamava Hector. Non avevano figli. Non avrebbe saputo dire perché, ma era impossibile immaginarli nell'atto di concepire un bambino.

Hector Keane portava calzoncini cachi che lo facevano sembrare un ragazzino troppo cresciuto e al collo aveva sempre una trombetta con cui chiamava all'adunata i piccoli ospiti del campeggio. Partecipava a tutti i loro giochi, si arrampicava sugli alberi, e si vedeva che non lo faceva per guadagnarsi la pagnotta o per dovere professionale, ma perché lo trovava divertente.

Era divertente anche stare a vedere Sid che continuava ad accanirsi sulla ruota sempre più di cattivo umore, borbottando parole senza senso.

Aveva forse intenzione di uccidere Steve? Ma non gli sarebbe servito a niente, se non, come aveva detto lui stesso poco prima, a spedirlo un giorno o l'altro sulla sedia elettrica.

Magari lo avrebbe abbandonato là. Steve si pentì di non essersi infilato prima l'impermeabile, perché ora cominciava a battere i denti.

Se fosse riuscito a non addormentarsi, forse avrebbe almeno recuperato un po' di energia. Anche se si sentiva la testa pesante, proibì a se stesso di chiudere gli occhi e perdere conoscenza. Se non avesse avuto la lingua impastata e come paralizzata sarebbe stato in grado di ripetere tutto ciò che era andato dicendo dall'inizio della serata. Forse non nell'ordine preciso. Ma forse anche sì!

Era sicuro di non aver detto stupidaggini. Sulle prime si poteva pensare il contrario, perché non sempre si era curato di usare frasi d'uso comune. Aveva preso delle scorciatoie, apparentemente mischiando gli argomenti.

In fondo tutto aveva un senso e lui non rimpiangeva nulla. Salvo l'impermeabile. E anche di non aver trovato il momento per chiedere che cosa fosse capitato alla madre della ragazzina. Di certo Sid avrebbe risposto, perché al punto in cui erano non aveva alcun motivo di nascondergli qualcosa. D'altronde tutte le radio ne avevano parlato.

Chissà se Nancy era ancora sul pullman. Come se

la sarebbe cavata, una volta a Hampton? Per raggiungere il campeggio le restavano una ventina di miglia di strada sconnessa. E cosa avrebbe fatto se non avesse trovato un taxi e tutti gli alberghi di Hampton, com'era probabile, fossero stati al completo?

Per essere più comodo Sid si era tolto la giacca di tweed e ora stava avvitando la ruota di scorta. Finito il lavoro, richiuse il cofano, senza preoccuparsi di rimetterci dentro la ruota bucata. Dopo tutto non era sua la macchina!

Steve era curioso di sapere che cosa avrebbe fatto. Sembrava imbarazzato, ansioso; si era rimesso la giacca e ora si avvicinava al ciglio della strada. Si piantò di fronte a lui, fissandolo a lungo dall'alto in basso, poi si chinò e gli assestò un paio di ceffoni, uno per guancia, senza collera, come se lo facesse per dovere.

«Riesci ad alzarti ora?».

Steve non ne aveva nessuna voglia. Gli schiaffi avevano scalfito a malapena il suo stato di felice torpore e ora guardava il compagno con indifferenza.

«Prova!».

Lui scosse lentamente il capo. Quando alzò le braccia per proteggersi era già troppo tardi, perché gli erano già arrivati altri due manrovesci in pieno viso.

«E adesso?».

Allora si mise a quattro zampe, poi in ginocchio, muovendo le labbra senza che si riuscisse a capire quel che diceva:

«Non farmi male».

Perché ora pensava alla ragazzina e sorrideva?

Era buffo. Appoggiandosi a Halligan raggiunse l'auto e si accasciò sul sedile, ma non dalla parte del guidatore.

4

Ancor prima di aprire gli occhi si rese conto con stupore della propria immobilità. Non ricordava la corsa in auto né aveva idea di dove si trovava, ma un vago istinto gli suggeriva che c'era qualcosa di anormale, perfino di minaccioso in quella condizione.

Si mosse leggermente e sentì un dolore acuto alla nuca; gli pareva di avere migliaia di aghi conficcati nella carne; pensò di essere ferito, il che spiegava la sensazione di pesantezza alla testa.

Contemporaneamente, attraverso le palpebre ancora chiuse percepì il chiarore del sole.

Avrebbe giurato di non aver dormito e, poiché non aveva mai perso coscienza del monotono rollio della macchina, a maggior ragione non riusciva a capire quel vuoto di memoria.

Ora però il movimento era cessato. Era certo di essere ferito o malato, e aveva paura di accertarsene, perché di sicuro non sarebbe stato piacevole; quindi cercava di rimandare il momento in cui avrebbe affrontato la realtà, sforzandosi di sprofondare ancora nel torpore.

Ci era quasi riuscito, e stava già riaffondando nell'incoscienza, quando udì il suono di un clacson, vicinissimo e acuto come non ricordava di aver mai sentito, e un'auto sfrecciò lacerando l'aria. Subito dopo fu la volta di un camion, da cui penzolava una catena che saltando sull'asfalto produceva un rumore di campanelli.

Gli parve perfino di sentire delle campane vere in lontananza e, più vicini, il cinguettio degli uccelli e il fischio di un merlo; ma doveva essere un'allucinazione, così come l'azzurro irreale del cielo su cui si stagliavano due piccole nuvole scintillanti.

Ma anche l'odore del mare e dei pini era un'allucinazione? E quel saltellare nell'erba che a lui sembrò quello di uno scoiattolo?

Cominciò a tastarsi attorno, ma, anziché il soffice tappeto erboso che si aspettava, la sua mano riconobbe il logoro tessuto dei sedili dell'auto.

Come per sfida aprì gli occhi di colpo e fu abbagliato dalla luce del mattino più splendente che avesse mai visto.

Fra un'auto e l'altra, che passando producevano una ventata d'aria fresca, il silenzio era rotto solo dal canto degli uccelli. Steve si stupì che lo scoiattolo ci fosse davvero: ora se ne stava sul tronco color bronzo di un pino, a mezz'altezza, e lo osservava con un paio di occhietti tondi e curiosi.

L'umidità del terreno evaporava per via di un caldo da giornata estiva e salendo faceva tremolare l'aria; la luce gli penetrava così a fondo negli occhi che per un attimo ebbe un senso di vertigine, mentre risentiva in bocca il retrogusto nauseante del whisky.

Si trovava in macchina, da solo, e non sul sedile del passeggero, ma al posto di guida. La strada, ampia, liscia, imponente, sembrava costruita per una marcia trionfale, con tre corsie per senso di marcia delimitate da strisce bianche e, su entrambi i lati, boschi di pini a perdita d'occhio; verso destra l'azzurro del cielo diventava color madreperla: poco lontano da lì, l'orlo spumeggiante del mare doveva infrangersi sulla spiaggia.

Quando provò a raddrizzare il suo corpo indolenzito, lo stesso dolore di prima lo attanagliò alla nuca dalla parte del finestrino aperto; non ebbe bisogno di tastarsi la pelle con la mano per sapere di non essere ferito. Aveva semplicemente preso freddo. La camicia era ancora intrisa dell'umidità della notte. Tirò fuori una sigaretta dalla tasca e la accese, ma aveva un sapore disgustoso, e lui fu lì lì per gettarla. Continuò a fumare solo perché tenerla fra le labbra, aspirare e mandare fuori il fumo con i gesti di sempre gli dava la sensazione di essere tornato alla vita.

Per uscire aspettò l'intervallo fra un'auto e l'altra. Adesso le macchine si succedevano a un ritmo regolare, ben diverso da quello del giorno precedente, a New York, e anche da quello della notte appena passata. Qui erano quasi tutte targate Massachusetts, e a bordo c'erano persone vestite di colori chiari, gli uomini in camicie variopinte, le donne in pantaloncini, alcune in costume da bagno. Notò sui tetti sacche da golf e canoe.

Verosimilmente provenivano da Boston, ed erano dirette alle spiagge dei dintorni. La radio doveva aver trionfalmente annunciato un week-end ideale, prevedendo che nel pomeriggio, come ogni anno, un milione e mezzo di newyorchesi si sarebbero ammassati sulla spiaggia di Coney Island.

Nonostante il tepore dell'aria, nell'abitacolo faceva ancora freddo. Cercò invano la giacca di tweed o il soprabito. Nella valigia ne aveva un'altra, più leggera. Fece il giro dell'auto e aprì il bagagliaio. Stupore e delusione gli si disegnarono contemporaneamente sul volto.

Si sentiva triste, quella mattina, di una tristezza immensa, quasi cosmica. Nel bagagliaio la valigia non c'era più; prima di portarla via, Halligan aveva tirato fuori gli effetti personali di Nancy: biancheria, sandali, un costume da bagno ora erano sparsi alla rinfusa fra gli attrezzi. Era sparita anche la borsa da toilette, che fra l'altro conteneva il pettine, lo spazzolino da denti e il rasoio.

Non si sforzava di pensare. Era soltanto triste e avrebbe dato qualunque cosa perché la situazione non avesse preso una piega così squallida.

Solo dopo aver richiuso il cofano notò che il copertone posteriore destro era a terra. Fino a quel momento non si era chiesto la ragione per cui la macchina fosse ferma sul ciglio della strada.

Avevano forato un'altra volta, e per di più la stessa gomma. Nulla di strano, visto che la ruota di scorta era vecchia e lui non aveva mai pensato a farla gonfiare.

Non aveva sentito nulla. Halligan non si era curato di svegliarlo o magari aveva tentato, senza riuscirci. Ma in fondo perché avrebbe dovuto svegliarlo? Si era portato via la valigia dopo averla alleggerita dei vestiti di Nancy e aveva anche preso la precauzione di mettere a sedere Steve al volante, per dare un aspetto più naturale all'auto ferma al bordo della strada.

Forse nei dintorni c'era una stazioncina. Oppure Halligan aveva fatto l'autostop. Con una valigia in mano doveva avere un'aria più rassicurante.

Proprio in fondo alla strada, all'orizzonte, spiccava nel sole un tetto rosso e al di sotto qualcosa brillava: probabilmente una fila di pompe di benzina. Era lontano almeno mezzo miglio, e forse di più. Non si sentiva la forza di camminare fin là, perciò si piazzò vicino alla macchina ferma, rivolto verso sinistra, alzando il braccio ogni volta che passava un'auto.

Ne passarono cinque o sei senza fermarsi. Un'autobotte rossa rallentò; l'autista gli fece segno di saltare sul predellino e aprì lo sportello senza fermarsi del tutto.

« Ha forato? ».

« Sì. Quello laggiù è un garage? ».

« Ne ha tutta l'aria ».

Si sentì impallidire, perché le vibrazioni del camion gli facevano venire la nausea e la testa gli doleva come se gliela avessero presa a martellate.

« Siamo lontani da Boston? ».

Il camionista, un colosso dai capelli rossi, lo guardò con uno stupore misto a sospetto.

« Lei va a Boston? ».

« In realtà sto andando nel Maine ».

« Boston è cinquanta miglia dietro di noi. Ora stiamo attraversando il New Hampshire ».

Giunsero vicino all'edificio, che era proprio un garage con annessa una caffetteria.

« Mi dia retta, si beva una bella tazza di caffè! ».

Evidentemente si vedeva che aveva bevuto. Tutti quelli che passavano in macchina a quell'ora avevano dormito di sicuro nei loro letti, si erano rasati da poco e indossavano biancheria pulita.

Si sentiva sporco anche dentro. I suoi movimenti erano ancora incerti e quando tentò di aprire lo sportello per scendere si accorse con imbarazzo che gli tremavano le mani.

« Buona fortuna! ».

« Grazie ».

Non gli aveva nemmeno offerto una sigaretta. Forse sarebbe stata meno dura se avesse continuato a piovere, se il tempo fosse stato grigio e ventoso. Lo infastidiva anche quella officina, così nuova e meticolosamente pulita, dove i benzinai indossavano una tuta di tela bianca; si rivolse a uno che non stava lavorando.

« Ho la macchina in panne in fondo alla strada » disse con una voce così triste da sembrare un mendicante.

« Vada in ufficio dal proprietario ».

Dovette passare davanti a un'auto scoperta nella

quale tre giovanotti e tre ragazze in calzoncini stavano già mangiando dei coni gelato. Lo guardarono: aveva gli abiti sgualciti e la barba lunga. Entrò nell'ufficio, dove in un angolo c'erano pile di pneumatici nuovi; il proprietario in maniche di camicia fumava un sigaro e aspettò che fosse lui a parlare per primo.

«La mia macchina è in panne a mezzo miglio da qui, in direzione Boston. Ha una gomma a terra».

«Non ha la ruota di scorta?».

Preferì rispondere di no piuttosto che confessare di averla lasciata per strada.

«Ora le mando qualcuno. Ci vorrà un'ora buona».

Vide una cabina telefonica, ma prima decise di bersi un caffè.

Non ce l'aveva con Sid Halligan per essersene andato, perché si rendeva conto che non aveva altra scelta. Ma non gli perdonava la delusione che gli aveva dato.

Esaminando meglio le cose, era di se stesso che si vergognava, specialmente dei ricordi che, a brandelli, cominciavano ora a tornargli alla mente, quando avrebbe preferito dimenticarli per sempre.

«Ha le chiavi?».

«Sono in macchina».

Mentre rispondeva si rese conto che in realtà non ne era affatto sicuro, perché non era stato lui a guidare per ultimo. Per quanto ne sapeva, Halligan poteva essersele portate via o averle gettate fra i cespugli.

«Immagino che aspetterà qui».

«Sì. Ho guidato tutta la notte».

«Da New York?».

«Sì».

L'uomo fece un'espressione come per dire che una notte intera era troppo per venire da New York e perciò Steve doveva essersi fermato parecchie volte strada facendo.

Steve preferì allontanarsi.

«Tu sei come un fratello per me!».

Più di tutto lo umiliavano quelle parole, che aveva ripetuto come una litania. Rannicchiato nel suo angolo, immerso nell'ombra, probabilmente con un sorriso beato in faccia, aveva detto al compagno che non era mai stato così felice in vita sua.

Forse aveva parlato meno di quanto immaginava. In ogni caso credeva di averlo fatto, con voce lenta e pastosa e la lingua che gli si imbrogliava nella bocca priva di saliva.

«Un fratello! Tu non puoi capire!».

Per quale motivo, quando aveva bevuto, credeva sempre che nessuno potesse capirlo? Forse perché in quei momenti venivano a galla cose sepolte nel profondo del suo animo, che egli stesso ignorava o voleva ignorare nella vita di tutti i giorni, e di cui era sorpreso e spaventato.

Ma preferiva pensare che non fosse così. Non era possibile. Aveva parlato di Nancy. Aveva pensato molto a lei non come un marito o un uomo innamorato, ma come un essere superiore al quale non si possono nascondere nemmeno i più banali impulsi umani.

«Fa la vita che ha voluto, quella che si è programmata lei. Poco importa se io...».

Esitava a entrare nella caffetteria, dove ancora una volta avrebbe avuto su di sé gli occhi di tutti. C'era un grande banco a ferro di cavallo con sgabelli fissi, e macchine da caffè e utensili da cucina di metallo cromato. Ai tavoli accanto alla vetrata erano sedute due famiglie, entrambe con figli, fra i quali una ragazzina dell'età di Bonnie. L'aria era impregnata del profumo delle uova al bacon.

«Desidera fare colazione?».

Si era seduto al banco. Le cameriere portavano l'uniforme e il berretto bianco. Erano in tre, giovani e carine.

«Intanto vorrei del caffè».

Doveva fare una telefonata al campeggio, ma ancora non osava. Alzando gli occhi all'orologio elettrico vide con stupore che erano le otto del mattino.

«Funziona?» chiese.

La ragazza, che era di buonumore, rispose:

«Che ora crede che sia? Le sembra di essere ancora a ieri sera?».

Avevano tutti un aspetto così pulito! L'odore delle uova e del bacon mischiato a quello del caffè gli riportava alla memoria, come una folata di vento, la sua casa a Scottville, in primavera, quando il sole del mattino penetrava nel tinello. Non avevano una sala da pranzo. La cucina era divisa in due da un basso tramezzo. Era più intimo. I bambini scendevano a fare colazione in pigiama, con gli occhi gonfi di sonno; a quell'ora del mattino il piccolo aveva una faccetta buffa, come se durante la notte gli si fossero cancellati i lineamenti. La sorella gli diceva:

«Sembri un cinese».

«E tu invece... Tu invece...» cominciava l'ometto, senza mai riuscire a trovare la risposta pungente che voleva.

Anche a casa loro tutto era pulito e luminoso. E allegro. Da dove aveva tirato fuori le cose che aveva o credeva di aver detto a Halligan?

Per tutto il tempo ne aveva visto soltanto il profilo, una sigaretta sempre accesa fra le labbra, che appena era finita prontamente sostituiva con un'altra, forse perché temeva di addormentarsi.

«Tu sì che sei un uomo!».

Quel profilo gli era sembrato il più nobile del mondo.

«Poco fa avresti potuto uccidermi».

La cosa peggiore di tutte era che gli pareva di ricordare la voce sprezzante dell'altro che a più riprese gli aveva intimato:

«Chiudi il becco!».

Ma lui aveva proseguito, esprimendosi a fatica, in modo quasi incomprensibile.

«Avresti potuto lasciarmi per strada. Ma se non lo hai fatto per paura che ti denunciassi alla polizia ti sei sbagliato. Mi hai giudicato male. Mi dispiace che tu mi giudichi male».

Doveva stringere i denti, adesso, per non urlare di collera, di rabbia. Era stato proprio lui a dire quelle cose! Nessun altro all'infuori di lui.

«So benissimo di non dare questa impressione, ma in fondo anch'io sono un uomo».

Un uomo! Un uomo! Un uomo! Era stata la sua ossessione. Temeva forse di non esserlo? Metteva insieme i binari, l'autostrada, la moglie che se n'era andata con il pullman.

«Le ho dato una bella lezione».

Girava meccanicamente il cucchiaino nel caffè troppo caldo.

«Quando sono uscito dal bar e ho visto il biglietto sul sedile...».

Sid lo aveva guardato e Steve era quasi sicuro di averlo visto sorridere. Se non si sbagliava, era stato il suo unico sorriso in tutta la notte.

Non doveva pensarci più, se voleva telefonare a Nancy. Non aveva ancora deciso cosa le avrebbe detto. Ma Nancy gli avrebbe creduto se le avesse confessato la verità, ammesso che ne avesse avuto il coraggio? Di sicuro, per come la conosceva, Nancy avrebbe telefonato subito alla polizia, se non altro per recuperare gli effetti personali sottratti da Halligan. Non sopportava di perdere qualcosa, di essere defraudata in qualsiasi forma; una volta lo aveva costretto a fare più di tre miglia per richiedere i venticinque centesimi di resto che non le avevano dato in un negozio.

Forse aveva raccontato a Sid la storia dei venticinque centesimi. Non lo sapeva più, non voleva saperlo. Si bagnò le labbra con il caffè; nello stomaco il liquido caldo aveva un sapore atroce e gli faceva salire l'acidità in gola. Dovette inghiottire qualche sorso d'acqua fredda per non vomitare, e per ogni evenienza guardò dove fosse il bagno.

Sapeva di che cosa aveva bisogno, ma quel rimedio lo spaventava. Un bicchiere di whisky lo avrebbe fatto riprendere all'istante. Il guaio era che un'ora dopo ne avrebbe desiderato un altro, e così di seguito.

«Ha scoperto se ha fame o no?».

Si sforzò di ricambiare il sorriso.

«La risposta è no».

La ragazza aveva capito, e gli rivolse un'occhiata canzonatoria.

«Non va giù, eh?».

«Non tanto».

«Se ha bisogno di qualcos'altro c'è un negozio che vende alcolici a cento metri da qui, dietro il garage. È la quarta volta stamattina che spiego dov'è e non mi danno neanche la percentuale».

Certo non era il solo ad andare in giro in quello stato. Dovevano essere migliaia, decine di migliaia gli uomini che, quella mattina, non si sentivano un granché.

Posò una moneta sul banco, uscì e imboccò la stradina che, tra due file di pini, portava a un gruppo di edifici. Avrebbe preferito mandar giù un bicchierino in un bar, sicuro che gli sarebbe bastato, ma dato che nelle vicinanze non c'erano bar fu costretto a comprarsi una bottiglia.

«Whisky. Una fiaschetta da un quarto» ordinò.

«Scotch?».

Il rye gli aveva lasciato un ricordo troppo cattivo per prenderne ancora.

«Un dollaro e settantacinque».

Infilò la mano nella tasca sinistra dei calzoni e rimase impietrito, anche nello sguardo, perché il portafogli non c'era più. La sua faccia doveva aver cambiato colore, se era ancora possibile.

«Qualcosa non va?» chiese il negoziante.

«Niente. Ho dimenticato una cosa in macchina».

«I soldi?».

Infilò l'altra mano nella tasca destra e si sentì un po' sollevato. Aveva l'abitudine di tenerci i biglietti da un dollaro arrotolati. Evidentemente Halligan lì non aveva guardato. Steve contò sei biglietti. Gli sarebbe servito del denaro per il garage. Sperò che accettassero assegni.

Bevve nascosto fra gli alberi. Mandò giù solo due sorsi, giusto quanto serviva per rimettersi in sesto. Si sentì subito meglio. Infilò la bottiglia in tasca e accese una sigaretta, che questa volta non gli diede il voltastomaco. Guardandosi intorno vide che non si era ingannato prima, quando gli era sembrato di respirare aria di mare: in effetti il mare faceva capolino fra il verde scuro degli alberi, placido e scintillante; su una striscia di sabbia gialla spiccava il rosso acceso di un ombrellone.

Se lo avessero interrogato che cosa avrebbe risposto alla polizia?

Nell'azzurro del cielo brillava il ventre bianco di alcuni gabbiani in volo; Steve preferì non guardarli, perché gli ricordavano che Bonnie e Dan lo aspettavano su un'altra spiaggia, a meno di settanta miglia da lì. Si chiese come Nancy avesse spiegato loro la sua assenza.

A testa bassa si avviò lentamente verso il garage. Per il momento non era la polizia a preoccuparlo, poiché era poco probabile che venisse a sapere che aveva preso a bordo Sid Halligan.

Si disse che faceva male a crearsi continuamente dei problemi. Non era poi così difficile spiegare che la valigia e le altre cose erano state rubate. In ogni caso, sarebbe stato costretto ad ammettere che aveva bevuto. Nancy lo sapeva già. Avrebbe detto di essersi fermato in due o tre bar lungo la strada, senza precisare quali. E uscendo da uno di quei posti si

77

era accorto che la valigia e la ruota di scorta erano sparite.

Ecco fatto. Anche se non c'era molto da vantarsi. E infatti un po' si vergognava. Ma dopo tutto mica si ubriacava tutti i giorni come il suo amico Dick, che nonostante ciò Nancy considerava un uomo interessante, perfino superiore alla media.

Quanto al fatto di telefonare così tardi, avrebbe detto che era stato bloccato da un guasto, che la linea era stata danneggiata dal temporale e le comunicazioni erano state ristabilite da poco. Cose che capitano molto spesso.

Era quasi contento del suo piano. Bisognava guardare in faccia la realtà. Tutti, si potrebbe dire ogni giorno, sono costretti ad accettare piccoli compromessi. Lo rassicurò anche rivedere la sua macchina nel garage, sollevata dal cric idraulico. Un meccanico stava infilando la camera d'aria dentro lo pneumatico.

«È sua?» gli chiese l'uomo, dato che si era fermato a guardare.

«Sì».

«Ha guidato per un bel pezzo dopo aver forato».

Preferì non dire niente.

«Il principale vuole parlarle».

Andò nell'ufficio.

«Abbiamo riparato la gomma meglio che si poteva. Se ci tiene, l'auto sarà pronta fra pochi minuti. Ma se ha molta strada da fare le consiglierei di non partire in queste condizioni. Sulla tela c'è un taglio di una ventina di centimetri. Abbiamo dovuto cambiare la camera d'aria».

Stava quasi per chiedere uno pneumatico nuovo, pensando di pagare con un assegno, quando si rese conto che la sparizione del portafogli aveva un'altra conseguenza: nessuno, per strada, avrebbe accettato assegni da lui senza accertarsi della sua identità. E la patente e tutti i documenti si trovavano nel portafogli. Non poteva nemmeno telefonare alla banca, perché era sabato. Anzi, fino a quel momento, forse per via del tempo, gli era sembrato che fosse domenica.

«Non vado lontano» mormorò.

Entrando nel garage, si era ripromesso di mangiare un boccone, dopo aver dato un'occhiata all'auto. Ora che l'alcol gli aveva rimesso a posto lo stomaco aveva fame. Mangiare gli avrebbe fatto bene. Cercò di calcolare quanto denaro gli restava e quanto gliene sarebbe servito per pagare la riparazione e la camera d'aria nuova.

E se non gli fosse bastato? Se gli avessero impedito di ripartire con la sua auto?

«Torno subito».

«Come vuole».

Preferiva telefonare dalla caffetteria, perché il proprietario dell'officina gli metteva soggezione, non sapeva perché.

«Uova al bacon, stavolta?».

«Non ancora. Un caffè».

Aveva in tasca qualche spicciolo. Dalla cabina chiamò la centralinista e chiese il 7 di Popham Beach, che era il numero dei Keane. Passò molto tempo. Poteva ascoltare la sua richiesta rimbalzare di ufficio in ufficio, ripetuta da voci che sembravano tutte allegre, come se anche gli impiegati dei telefoni sentissero che quella era una giornata eccezionale.

Se la moglie era preoccupata per lui, di sicuro avrebbe cercato di stare nei pressi dell'ufficio di Gertrud Keane e magari avrebbe risposto lei stessa al telefono. Girato verso il muro si portò la bottiglia alle labbra e inghiottì un solo sorso di whisky, giusto per schiarirsi la voce, che gli pareva più roca del solito.

«Qui il campeggio Walla Walla».

Era la voce della signora Keane, talmente simile a lei che gli pareva quasi di vederla all'altro capo del filo.

«Sono Steve Hogan, signora Keane».

«Signor Steve, come sta? Dove si trova? Vi aspettavamo stanotte come ci avevate preannunciato. Avevo lasciato la chiave sulla porta del bungalow».

Gli ci volle qualche secondo per capire che cosa significava quella frase. Cercando di contenere un'onda crescente di panico, chiese:

«Mia moglie è lì?».

«Non è con lei? Ma no, signor Steve, non è arrivata. Stamani sono arrivate tre famiglie, tutte da Boston. Guardi, da qui vedo la sua Bonnie, tutta abbronzata, con le trecce più bionde che mai».

«Mi scusi, signora Keane, è proprio sicura che mia moglie non sia al campeggio? Non potrebbe essersi fermata al campeggio dei ragazzi?».

«Mio marito era qui pochi minuti fa e me lo avrebbe detto. Ma lei dov'è?».

Non osò confessare che non lo sapeva. Non aveva pensato di chiedere il nome del paese più vicino.

«Sono per strada, a circa settanta miglia da lì. Sa a che ora arriva a Hampton il pullman di linea?».

«Il Greyhound della notte?».

«Sì».

«Passa alle quattro del mattino. Non mi dirà che sua moglie...».

«Un attimo. Supponiamo che sia arrivata a Hampton alle quattro: che mezzo poteva utilizzare per venire da voi?».

«C'è il bus locale, che passa di qua alle cinque e mezzo».

Senza rendersene conto tirò fuori dalla tasca un fazzoletto sporco e si asciugò la fronte e il viso.

«Conosce gli alberghi di Hampton?».

«Ce ne sono soltanto due, il Maine Hotel e l'Ambassador. Spero che non le sia capitato niente. Vuole che chiami Bonnie?».

«Non ora».

«Che cosa le devo dire? Mi sta guardando attraverso la finestra. Forse ha capito che sto parlando con lei».

«Le dica che abbiamo avuto un guasto e arriveremo in ritardo».

«E se arriva sua moglie?».

«Le dica che ho telefonato, che va tutto bene e che fra un po' mi rifarò vivo».

Gli tremavano le mani e anche le ginocchia. Chiamò di nuovo la centralinista.

«Il Maine Hotel di Hampton, per cortesia».

Dopo qualche istante una voce disse:

«Introduca trenta centesimi nell'apparecchio, prego».

Sentì cadere le monete.

«Qui Maine Hotel».

«Vorrei sapere se stanotte la signora Nancy Hogan ha preso una stanza da voi».

Dovette ripetere il nome lettera per lettera, poi restò in attesa per un tempo che gli parve interminabile.

«Questa persona sarebbe arrivata ieri sera?».

«No, stanotte alle quattro, con il Greyhound».

«Spiacente, ma nessuno dei nostri clienti è arrivato in pullman».

Imbecille! Come se il suo albergo fosse di classe superiore...

Sacrificò altri trenta centesimi per chiamare l'Ambassador, ma anche lì sul registro non figurava nessuno che si chiamasse Hogan, e l'ultimo cliente era arrivato a mezzanotte e mezzo.

«Per caso le risulta che il pullman della notte abbia avuto incidenti?».

«Sicuramente no. Ne avrebbe parlato anche il giornale di stamattina, che ho appena letto. Senza contare che qui di fronte c'è il deposito degli autobus e...».

Provò il bisogno di uscire dalla cabina. Là dentro si soffocava. Perfino il sorriso che gli rivolse la cameriera lo infastidì. Lei non poteva sapere. Lo prendeva in giro bonariamente.

«Allora, ha deciso?».

Come riuscire ad avere notizie di Nancy? Fissava la tazza di caffè senza vederla; in quel momento sentì di amare la moglie come non mai, e sarebbe stato pronto a dare un braccio, una gamba, dieci anni della sua vita perché lei fosse là, per poterle chiedere perdono e supplicarla di sorridere, di essere felice, e prometterle che da allora in avanti lo sarebbe stata sempre.

Se n'era andata sola, di notte, soltanto con una borsetta, verso le luci dell'incrocio; gli pareva di ricordare che stesse piovendo e se la immaginava camminare nel fango, tra gli schizzi delle macchine in corsa sull'autostrada.

Chissà se si era messa a piangere. Il fatto che lui avesse provato il bisogno di andare a bere la rendeva così infelice? Non si era portato via le chiavi dell'auto per cattiveria. Era stato solo un modo di rispondere per le rime, con uno scherzo, alla minaccia della moglie di andarsene con la macchina.

Nancy lo avrebbe fatto davvero?

Steve sapeva che, nonostante le apparenze, era una donna sensibile, ma non sempre era disposto ad ammetterlo, soprattutto quando aveva bevuto un bicchiere di troppo.

«In momenti come questo mi detesti, vero?».

Le aveva giurato che non era così, che la sua era solo una specie di ribellione temporanea e infantile.

«No! Lo so benissimo! Lo vedo dai tuoi occhi. Mi guardi come se fossi pentito di aver legato la tua vita alla mia».

Era falso! Doveva ritrovarla a ogni costo, scoprire cosa le era successo. Si chiedeva con ansia a chi rivolgersi, ancora convinto, pur senza una ragione precisa, che Nancy fosse arrivata a Hampton. Che cosa gli importava se la cameriera lo guardava con aria interrogativa?

«Mi cambi un dollaro».

Tuttavia aggiunse:

«Per il telefono...».

Come se avesse avuto il dono della divinazione, la ragazza disse con aria scherzosa:

«Ha perso qualcuno?».

Per poco la frase non lo fece scoppiare in lacrime davanti a lei, stupidamente. La ragazza dovette accorgersene, perché si affrettò ad aggiungere, in tono completamente diverso:

«Mi scusi».

La centralinista riconobbe la sua voce.

«Quale numero vuole stavolta?».

«La polizia di Hampton, nel Maine».

«La polizia della contea o la polizia urbana?».

«Urbana».

«Trenta centesimi!».

Avrebbe ricordato a lungo il rumore delle monete che cadevano una alla volta nell'apparecchio.

«Polizia».

«Vorrei sapere se è successo qualcosa a mia moglie, che stanotte sarebbe dovuta arrivare a Hampton con il Greyhound».

«Nome?».

«Hogan. Nancy Hogan».

«Età?».

«Trentaquattro anni».

Gli faceva sempre un certo effetto pensare che aveva due anni più di lui.

«Aspetto?».

Era accaduta una disgrazia, lo sentiva. Se gli chiedevano l'età e l'aspetto di Nancy era perché avevano trovato un cadavere e prima di dirglielo volevano essere sicuri che fosse lei.

«Di media statura, capelli castano chiari, indossava un tailleur verde salvia e...».

«Non ci risulta».

«Ne è sicuro?».

«Qui abbiamo solo una donna anziana, ubriaca da non reggersi in piedi, che dice di essere stata picchiata da uno sconosciuto e...».

«È stato portato nessuno all'ospedale?».

«Un momento».

Resistette alla tentazione di bere un sorso di wisky. Era stupido, ma parlare al telefono con la polizia lo inibiva.

«Marito e moglie, un incidente stradale. Il marito è morto. Ma il nome non corrisponde».

«Nient'altro?».

«Solo un ricovero d'urgenza per appendicite. Una ragazzina. Abita qui vicino. Ma per sapere se è successo qualcosa fuori città sarebbe meglio telefonare allo sceriffo».

«La ringrazio».

«A disposizione».

La centralinista non fece neanche finta di non aver ascoltato la conversazione.

«Vuole parlare con lo sceriffo?».

Appena Steve bofonchiò un sì incerto, aggiunse: «Trenta centesimi!».

Nemmeno lo sceriffo aveva notizie di Nancy. Il Greyhound era arrivato senza contrattempi, in orario, ed era ripartito dieci minuti dopo.

Telefonando al deposito dei pullman alla fine venne a sapere che quella notte a Hampton non era scesa nessuna donna; allora mandò giù un sorso, girato verso il fondo della cabina, dopo essersi assicurato che la cameriera non lo guardasse, davvero nella speranza, questa volta, di far cessare il tremore alle mani e alle ginocchia. Prima di uscire, gli venne persino da invocare sottovoce:

«Nancy!».

Non sapeva più che cosa fare. Se solo avesse saputo il nome del posto dove la moglie lo aveva lasciato!

Rivedeva il bar, e soprattutto l'ubriaco biondo che gli somigliava e in cuor suo aveva chiamato fratello. Se soltanto avesse potuto non ricordare quei particolari in un momento simile! Rivedeva anche il tratto di strada fino all'incrocio, con un terreno incolto in cui gli era parso di distinguere il profilo di una fabbrica e, con maggiore nitidezza, vicino alla caffetteria, in una specie di *main street* del paese, un letto con una sovraccoperta di seta blu dietro una vetrina.

Era da qualche parte prima di Providence, ma per via delle deviazioni che aveva fatto dopo non era in grado di dire se fosse a venti o a cinquanta miglia. Non aveva prestato attenzione ai cartelli, in quei momenti! L'universo non era altro che un'autostrada senza fine dove quarantacinque milioni di automobilisti sfrecciavano a tutta velocità davanti alle insegne luminose rosse e blu dei locali. Era la sua notte! aveva sbraitato con convinzione.

«Cattive notizie?».

Era tornato a sedersi al suo posto, e adesso levò verso la cameriera uno sguardo da bambino sperduto. Lei non sorrideva più. Steve intuì che provava compassione per lui. Si vergognava di confidarsi con una ragazzina che nemmeno conosceva, ma mormorò:

«Mia moglie».

«Un incidente?».

«Non lo so. Sto cercando di informarmi. Nessuno mi sa dire niente».

«Dov'è successo?».

«Non so nemmeno questo. Non so neanche cosa sia successo. Ieri sera siamo partiti da New York per andare a prendere i nostri due figli nel Maine. Eravamo felici. A un certo punto, per una ragione o per l'altra, mia moglie ha deciso di proseguire con il pullman».

Siccome teneva la testa bassa, non notò che la ragazza lo stava osservando con maggiore attenzione.

«L'ha vista salire sul pullman?».

«No. Ero dentro un bar, a cinquecento metri dalla fermata».

Non aveva più ritegno. Doveva parlare con qualcuno.

«Non ricorda il nome del posto?».

«No».

La ragazza aveva di sicuro capito il motivo, ma a Steve non importava. Sarebbe stato disposto a confessare tutto anche in mezzo alla strada, se glielo avessero chiesto.

«Era nel Connecticut?».

«Prima di arrivare a Providence, in ogni caso. Credo che odierò quella città per tutta la vita, ci ho girato intorno per ore».

«Che ore erano?».

Fece un gesto d'impotenza.

«Sua moglie ha i capelli castano chiaro e porta un tailleur verde e scarpe scamosciate in tinta?».

Sollevò la testa così rapidamente che sentì un dolore alla nuca.

«Come fa a saperlo?».

La ragazza prese un giornale locale dietro il banco; tendendo il braccio per afferrarlo Steve rovesciò la tazza di caffè che cadde a terra rompendosi.

«Non si preoccupi».

E subito aggiunse, per rassicurarlo:

«Non è morta. Se parliamo della stessa persona ora è fuori pericolo».

E pensare che un quarto d'ora prima, mentre stava davanti al garage, aveva visto arrivare il camioncino con i giornali di Boston ed era stato quasi sul punto di prenderne una copia, ma poi gli era passato di mente.

«In ultima pagina» disse la ragazza chinandosi verso di lui. «Dove mettono le notizie della notte».

C'erano solo poche righe sotto il titolo:

Donna aggredita sull'autostrada

5

«Verso l'una di questa notte una giovane donna di circa trent'anni, la cui identità è ancora ignota, è stata trovata priva di sensi sul ciglio della strada numero 3, in prossimità dell'incrocio di Pennichuck.

«La ferita alla testa e lo stato dei vestiti fanno supporre che la donna sia stata vittima di un'aggressione. Subito condotta all'ospedale di Waterly, non ha ancora potuto essere interrogata. Le sue condizioni sono buone.

«I suoi connotati: altezza un metro e sessantacinque, carnagione chiara, capelli castani. Il tailleur verde pallido che indossava e le scarpe scamosciate di un verde più deciso provengono da un grande magazzino della Quinta Avenue, a New York. Sul luogo non è stata ritrovata la borsetta».

La ragazza si era dovuta allontanare dal banco per prendere l'ordinazione di una coppia di persone anziane appena scesa da una Cadillac scoperta. L'uomo, che era sulla settantina, aveva un bel portamento e la carnagione abbronzata. Indossava un completo di flanella bianca con una cravatta azzurro pallido e aveva capelli candidi e setosi, identici a quelli della moglie. Calmi e sorridenti, si comportavano nella caffetteria come se fossero stati in un salotto, trattando la cameriera con squisita cortesia e scambiandosi piccole gentilezze. Di sicuro abitavano in un grande edificio circondato da prati curatissimi; forse andavano a trovare i nipotini, e i pacchetti sui sedili di cuoio rosso dell'auto contenevano giocattoli. Dopo oltre trent'anni di vita in comune, continuavano a sorridersi estasiati e a rivaleggiare in attenzioni reciproche.

Steve, con il giornale sulle ginocchia, si era messo a fissarli senza rendersene conto, in attesa che la cameriera tornasse verso di lui dopo aver preso l'ordinazione. Non aveva niente di speciale da dirle. Non aveva niente da dire a nessuno, tranne che a Nancy. Aveva soltanto bisogno che qualcuno si occupasse di lui, magari solo con un'occhiata amichevole; e poiché era rimasto senza spiccioli per il telefono, aveva anche il pretesto per aspettare il ritorno della ragazza.

Appena la cameriera ebbe messo il bacon sulla piastra le disse sottovoce:

«È mia moglie».

«Lo sospettavo».

«Può darmi altre monete?».

Le allungò due dollari e lei gli diede dei pezzi da dieci centesimi.

«Prima beva il caffè. Ne vuole di caldo?».

«Grazie».

Lo bevve per farle piacere, quasi per gratitudine, poi si diresse verso la cabina e si chiuse dentro.

La centralinista, ancora ignara di tutto, riconobbe la sua voce e gli disse:

«Ancora lei? Si rovinerà».

«Mi passi l'ospedale di Waterly, a Rhode Island».

«C'è qualcuno malato?».

«Mia moglie».

«Mi scusi».

«Non fa niente».

La sentì dire:

«Pronto, Providence? Mi passi l'ospedale di Waterly e si sbrighi, dolcezza. È molto urgente».

Mentre aspettava gli parlò ancora:

«Sua moglie ha avuto un incidente? Era lei che pensava di trovare nel Maine?».

«Sì».

«Pronto, ospedale? Attenda in linea».

Non si era preparato una frase. Non sapeva come comportarsi e si sentiva impacciato.

«Vorrei parlare con la signora Hogan, signorina. La signora Nancy Hogan».

Compitò il nome e l'altra lo ripeté a qualcuno aggiungendo:

«Ti risulta? Sul registro non la vedo».

«Guarda in maternità».

Steve si intromise:

«No, signorina. Mia moglie è stata ferita stanotte per strada e l'hanno portata nel vostro ospedale».

«Un momento, ci deve essere un errore».

Ma perché, adesso che l'aveva ritrovata, gli era così difficile mettersi in contatto con Nancy?

«C'è sicuramente un errore» gli fu confermato dopo un bel pezzo. «Da ieri sera alle undici l'ospedale è al completo e non abbiamo potuto accettare più nessuno. Siamo stati costretti a sistemare dei letti perfino nei corridoi».

«Ma il giornale dice...».

«Aspetti. È possibile che sua moglie abbia ricevuto le prime cure in infermeria e poi sia stata portata altrove. In un week-end come questo facciamo quel che possiamo».

Dall'altra parte del filo, probabilmente nel cortile dell'ospedale, udì la sirena di un'ambulanza.

«Le consiglio di chiamare New London. Di solito è lì che mandiamo...».

Richiamata da una voce maschile, la ragazza lasciò la frase a metà. Allora, sicuro che la centralinista fosse in ascolto, Steve disse:

«Ha sentito?».

«Sì. Sono oberati di lavoro. La metto in comunicazione con New London?».

«Sì, grazie. Ci vorrà molto?».

«Non credo. Inserisca quaranta centesimi, per cortesia».

Improvvisamente si sentiva così stremato che, se ne avesse avuto il coraggio, avrebbe chiesto alla cameriera di aspettare al telefono al posto suo. La notte precedente aveva visto passare delle ambulanze, scorto dei feriti in attesa di soccorso sul ciglio della strada, e non aveva pensato ai parenti che, come lui ora, per sapere qualcosa avrebbero dovuto affrontare difficoltà grottesche.

«Ospedale di New London».

Ripeté il suo discorsetto, compitando il nome due volte.

«Sa se è stata ricoverata in chirurgia?».

«Non lo so, signorina. È mia moglie. È stata aggredita per strada».

Di colpo si rese conto della sua stupidità. Nancy non poteva essere stata registrata con il proprio nome dal momento che, almeno secondo il giornale, non era stata identificata.

«Aspetti! Non può esserci il suo nome sui vostri registri».

«Con quale nome dovrebbe essere?».

«Con nessun nome. Ho appena saputo quello che le è accaduto soltanto dal giornale».

«Quanti anni ha?».

«Trentaquattro, ma ne dimostra trenta. Il giornale dice trenta».

Doveva richiamare Waterly. Avevano cercato sotto

il nome Hogan. E anche se aveva aggiunto che dopo le undici di sera l'ospedale non aveva ricoverato più nessuno, l'infermiera all'accettazione poteva essersi sbagliata.

«Spiacente, nessuno risponde alla sua descrizione. La notte scorsa abbiamo dovuto dirottare moltissime ambulanze verso altri ospedali».

Attese di parlare nuovamente con la centralinista.

«Mi ripassi Waterly».

Adesso la donna sembrava imbarazzata di dovergli ricordare di inserire le monete nell'apparecchio. Steve mandò giù un sorso di whisky. Non per piacere, né per vizio. In quella cabina mancava l'aria e cominciava a girargli la testa, ma non osava aprire un po' la porta per non infastidire tutti con i suoi guai.

La coppia anziana mangiava lentamente, senza smettere di parlare, e Steve si chiese che cosa trovassero da dirsi dopo tanto tempo.

«Mi dispiace disturbarla ancora, signorina, ma mi sono appena reso conto che mia moglie non può essere stata registrata con il suo nome».

Spiegò la situazione, sforzandosi di essere preciso nei particolari. Aveva la fronte madida e la sua camicia puzzava di sudore. Si sarebbe presentato a Nancy così com'era, senza nemmeno radersi?

«No, signore. Ho controllato bene. Ha provato a New London?».

Riappese, scoraggiato. Fu la cameriera, quando seppe del risultato delle sue ricerche, a suggerire:

«Perché non telefona alla polizia?».

Gli restavano due banconote da un dollaro. Avrebbe per forza dovuto pagare con un assegno il conto del garage. Non avrebbero potuto negarglielo, in quella situazione.

«Mi dispiace, ma mi serve altra moneta».

Si sentiva umile, camminava con le spalle curve, a testa china.

«Polizia di Pennichuck?».

Gli rispose una voce sonora che riempì la cabina.
«Cosa desidera?».

Spiegò per l'ennesima volta. Quante volte lo aveva fatto?

«Spiacente, amico. Non è di nostra competenza. Qui ci sono solo io. Mi pare di aver sentito parlare di un fatto del genere, ma è successo fuori dei confini della giurisdizione. Chiami lo sceriffo o la polizia di Stato. Le consiglio la polizia di Stato, le loro pattuglie sono state fuori tutta la notte. È meglio che chiami il 337 a Limestone».

Da quando aveva parlato con la polizia gli tornava sempre davanti il profilo di Sid Halligan, con la sigaretta che gli pendeva fra le labbra.

«Sì... Sì... Qualcosa ricordo... Il tenente che se n'è occupato adesso non c'è... Tornerà fra un'ora... Come? Lei è il marito?... Mi dia comunque il nome, che ne prendo nota... H, O... Sì... Si trovava sul posto?... No?... Non ne sa niente?... Suppongo che l'abbiano portata all'ospedale di Waterly... Non è lì?... Ne è sicuro?... Ha provato a Lakefield?... La notte scorsa c'è stato talmente tanto lavoro che la gente è stata sistemata un po' dappertutto...».

Telefonò a Lakefield, ma anche lì non sapevano niente. Prima di desistere decise di fare un ultimo tentativo. Gli avevano appena parlato di un altro ospedale a Hayward, più o meno nella stessa zona.

Riuscì a malapena a ripetere il suo discorso, che gli sembrava ridicolo.

«Per caso è ricoverata da voi una giovane donna che è stata aggredita questa notte per strada?».

«Lei chi è?».

«Sono il marito. Stamattina ho letto il giornale e sono sicuro che si tratti di mia moglie».

«Dove si trova?».

«Nel New Hampshire. È da voi?».

«Se intende la persona che è stata ferita alla testa, sì, è qui».

«Posso parlarle?».

«Mi dispiace, ma il telefono c'è solo nelle stanze singole».

«Non sa se è in grado di venire lei al telefono?».

«Aspetti, chiedo all'infermiera del piano. Ma non credo che possa».

L'aveva ritrovata, finalmente! Li separavano ancora centoventi miglia, all'incirca, ma almeno sapeva dov'era, e che era viva, altrimenti glielo avrebbero detto subito, e comunque la telefonista sarebbe stata in imbarazzo. Piuttosto era rimasto male per il fatto che Nancy non fosse in una stanza singola. Si immaginava sei o sette letti allineati lungo un muro, occupati da degenti che si lamentavano.

«È ancora in linea?».

«Sì».

«Sua moglie non può venire al telefono e il dottore ha lasciato detto di non disturbarla».

«Come sta?».

«Bene, credo».

«Ha ripreso conoscenza?».

«Se aspetta un istante le passo la caposala, che le vuole parlare».

Quest'altra voce doveva appartenere a una donna già in là con gli anni, e aveva un tono più asciutto di quello della centralinista.

«Mi hanno detto che lei è il marito della ferita che è ricoverata qui».

«Sì, signora. Come sta?».

«Bene, per quanto è possibile. Il medico l'ha visitata di nuovo un'ora fa e ha confermato che non ha fratture alla testa».

«La ferita è grave?».

«Soffre soprattutto per lo shock».

«Ha ripreso conoscenza?».

Ci fu un attimo di silenzio, come se la donna esitasse a rispondere.

«Il medico vuole che stia a riposo e ha vietato

qualsiasi interrogatorio. Prima di andare via le ha dato un sedativo che la farà dormire per qualche ora. Mi lascia il suo nome?».

Quante volte ancora quel giorno gli sarebbe toccato ripetere il suo nome lettera per lettera?

«Indirizzo, numero di telefono... Stamattina presto è venuta la polizia. Ci hanno detto di prendere nota di questi dati, se si fosse presentato qualcuno a riconoscere la signora... Il tenente passerà di nuovo in giornata...».

«Parto immediatamente. Nel caso mia moglie si svegliasse, mi faccia la cortesia di dirle...».

Dirle che cosa? Che stava arrivando. Non c'era nient'altro da dire.

«Conto di essere lì fra tre o quattro ore. Non lo so di preciso, non ho guardato la carta».

La sua voce divenne quasi supplichevole quando aggiunse:

«Immagino che non possiate darle una stanza singola... Naturalmente sono disposto a pagare...».

«Caro signore, ringrazi che le abbiamo trovato un letto».

All'improvviso, senza una precisa ragione, qualche lacrima gli rigò le guance quando disse con eccessiva cordialità:

«La ringrazio, signora. Curatela bene».

Quando tornò al banco la cameriera gli mise davanti un piatto di uova al bacon senza dire una parola. La guardò sorpreso, indeciso sul da farsi.

«Deve mangiare».

«Si trova a Hayward».

«Lo so, ho sentito».

Non credeva di aver parlato così forte. Anche altri avevano sentito, perché lo guardavano con una curiosità piena di simpatia.

«Mi chiedo se non dovrei prima andare a prendere i bambini».

Si mise a mangiare, stupito di ritrovarsi in mano la forchetta.

«No, ci vorrebbero almeno tre ore e non voglio che vengano all'ospedale. Non saprei dove lasciarli».

Gli servivano dei soldi, perché non aveva più nemmeno di che pagare la colazione e doveva anche fare benzina.

«Le dispiace se torno a pagare fra qualche minuto? Devo cambiare un assegno al garage dove ho lasciato la macchina».

Gli pareva di approfittare della situazione. Erano tutti gentili con lui e gli si rivolgevano in tono amichevole perché sua moglie era stata aggredita per strada e si trovava all'ospedale; per di più, grazie all'incidente di Nancy, ora non aveva più esitazioni a proporre di pagare con un assegno. L'uomo con il sigaro, nel suo ufficio accanto alla colonna scura formata dalla pila degli pneumatici, lo guardava con interesse crescente a mano a mano che Steve procedeva con il suo racconto.

«Devo assolutamente andare a Hayward. Ho perso il portafogli e sono senza documenti. Ma troverà il mio nome e il mio indirizzo sul libretto della macchina».

«Quanto le serve?».

«Non so. Venti dollari, quaranta...».

«Le consiglio di mettere una gomma nuova e di portarsi dietro una ruota di scorta».

«Ci vorrà molto?».

«Dieci minuti. Dove ha detto che si trovano i suoi figli?».

«Al campeggio Walla Walla, nel Maine, dai signori Keane».

«Perché non li chiama?».

Stava per dire di no, ma capì che il garagista aveva escogitato l'idea per ottenere una conferma della sua identità; allora entrò nella cabina lasciando la porta aperta.

«Ha cambiato telefono!» si stupì la centralinista.

Questa volta dal campeggio rispose il signor Keane.

«Sono Steve Hogan».

Dovette stare a sentire tutto quello che il vecchio boy-scout aveva voglia di raccontargli, aspettando il momento buono per interromperlo.

«Senta signor Keane, volevo dirle... Mia moglie è stata ferita per strada. Ora l'ho trovata. Parto per Hayward fra un attimo... No! Non voglio parlare ai bambini adesso. Non dica loro niente. Dica solo che verremo a prenderli domani o dopodomani... Non la disturbo troppo?... Come?... Non lo so... Non so niente, signor Keane... Basta solo che non sospettino che la madre è stata ferita...».

Mentre finiva di parlare l'uomo con il sigaro aveva estratto dal cassetto alcune banconote e dopo averle contate le aveva posate sulla scrivania.

«Faccia un assegno di quaranta dollari» disse.

Lo guardava con insistenza, mentre firmava l'assegno, tanto che Steve, imbarazzato, si chiese se nutrisse ancora dubbi sulla sua onestà. Ma quando arrivò alla porta, il garagista gli mise una mano sulla spalla.

«Conti su di me, fra dieci minuti la sua auto sarà pronta».

Le dita dell'uomo, dure come attrezzi da lavoro, non si staccavano dalla spalla di Steve.

«Non viaggiava con sua moglie, la notte scorsa?».

Per evitare una lunga spiegazione rispose di no.

«Il mio meccanico si è meravigliato di trovare della biancheria da donna fra gli arnesi».

E così, dopo aver visto cosa c'era nel bagagliaio posteriore, ora lo guardavano con sospetto. Che cosa avevano pensato? Cosa immaginavano avesse fatto? E se nel frattempo la polizia fosse passata di là, glielo avrebbero detto?

«È roba di mia moglie» mormorò senza dare altre spiegazioni.

Sulla strada le macchine diventavano sempre più numerose: stava arrivando la seconda ondata di newyorchesi, quelli a cui non piaceva viaggiare la notte e preferivano partire di buonora il sabato mattina. Ce ne sarebbe stata una terza, quella dei commessi dei negozi che rimanevano aperti anche il sabato mattina, il cui week-end sarebbe cominciato soltanto quel pomeriggio. Quarantacinque milioni di automobilisti...

Senza volerlo, quando Steve la salutò ringraziandola, la cameriera che lo aveva preso sotto la sua protezione disse la cosa sbagliata.

«Non corra troppo. Sia prudente» gli raccomandò. «E passi a salutarmi con sua moglie, quando andrete a prendere i bambini».

A causa di quella raccomandazione, e dello stato di prostrazione in cui si trovava, la strada e il rumore ossessionante delle migliaia di ruote sull'asfalto gli facevano paura. Sedette al volante e dovette aspettare a lungo prima che un varco nel traffico gli permettesse di fare inversione e di immettersi nel corteo delle auto dirette verso Boston.

Il sedile accanto a lui era vuoto. Era il posto di Nancy. Non guidava quasi mai senza di lei. A differenza dell'anziana coppia della Cadillac, loro due parlavano poco. Rivedeva la moglie accendere la radio poche miglia dopo che erano partiti. Nelle domeniche di primavera e d'autunno, quando andavano a fare una scampagnata, i piccoli stavano dietro, raramente seduti, perché preferivano aggrapparsi allo schienale dei sedili anteriori. La bambina si piazzava dietro quello di Steve, che sentiva il suo respiro sulla nuca. Chiacchierava in continuazione di qualunque cosa, delle macchine che passavano e del paesaggio, perentoria, sicura di sé, alzando le

97

spalle con condiscendenza quando il fratello si permetteva di manifestare la propria opinione.

«Meno male che c'è il campeggio!» finivano talvolta per sospirare Nancy e lui, rientrando a casa sfiniti da una di quelle gite.

Ma poi, quando arrivava l'estate, non approfittavano della loro solitudine.

Essere solo gli pareva così strano che quasi se ne vergognava. Guardando il sedile vuoto gli tornò in mente Halligan, che lo aveva occupato per una parte della notte, e le sue dita ricominciarono a tremare dalla rabbia. Aveva bisogno di un sorso di whisky se voleva guidare in maniera appena accettabile. In un certo senso gli serviva per la sua incolumità. Era così agitato che aveva continuamente paura di sbandare e andare a urtare le auto di un'altra corsia.

Aspettò che nessuno lo vedesse e si portò la bottiglia alla bocca. Perfino Nancy avrebbe capito e approvato. Quella volta che aveva dovuto spogliarlo e metterlo a letto di peso, era stata lei, la mattina dopo, quando aveva trovato Steve nel bagno con l'aspetto più di un fantasma che di un uomo, a portargli qualcosa di forte.

«Bevi questo, ti sentirai meglio».

Giurò a se stesso che, qualunque cosa succedesse, non sarebbe entrato in nessun bar, né si sarebbe fermato per comprare un'altra bottiglia.

Nonostante la fretta di arrivare non superò mai le cinquanta miglia, e quando un semaforo segnava il giallo preferiva fermarsi. Temeva di perdersi passando per Boston, dove di solito era Nancy a fargli da guida, ma quasi miracolosamente riuscì ad attraversare la città ritrovandosi sulla strada giusta, senza saperlo, dove era già passato la notte precedente.

Evitare Providence era impossibile. Con sua grande sorpresa vide che era una città allegra e luminosa. Questa volta si diresse a colpo sicuro verso l'entrata della baia: non gli sarebbe dunque toccato rifare la strada della sera prima e rivedere i locali in cui si era fermato.

Il tenente di cui aveva parlato la caposala lo avrebbe interrogato? Gli avrebbe chiesto che cosa aveva fatto durante la notte? Certamente avrebbe dovuto spiegare come mai non era con sua moglie quando era stata aggredita. La cosa migliore era dire la verità, almeno in parte, e raccontare del litigio. Esistono forse matrimoni in cui non capitano mai discussioni del genere? E ci sono uomini a cui non accade mai di bere un bicchiere di troppo?

La cosa più incredibile era che, quando Nancy si era allontanata dalla macchina, lui non era ubriaco. Forse, secondo la sua espressione, era entrato nel tunnel e aveva bevuto quanto bastava per avere uno scatto di nervi, ma probabilmente se Nancy non se ne fosse andata non sarebbe successo niente. Avrebbero litigato per tutto il viaggio. Steve si sarebbe lamentato perché la moglie non lo trattava come un uomo, forse le avrebbe rimproverato, come sempre in quei casi, di preferire gli uffici della Schwartz & Taylor alla famiglia.

Ma era ingiusto. Se dopo la nascita dei bambini Nancy non avesse ricominciato a lavorare, non avrebbero potuto permettersi quella casa, sia pure pagandola in dodici anni. E non avrebbero nemmeno avuto l'auto. Sarebbero stati costretti ad abitare in periferia, perché non potevano continuare a vivere per sempre in un appartamento di tre locali, come avevano fatto nei primi tempi.

Nancy gli avrebbe risposto così, con voce calma, un po' più bassa del solito, arricciando le narici come faceva solo quando diceva cose spiacevoli.

E d'altra parte era anche vero che lei era felice nel suo ufficio, dove si sentiva importante e considerata. Per esempio, quando Steve le telefonava la centralinista rispondeva invariabilmente:

«Un momento, signor Hogan, verifico se la signora Hogan è libera».

A volte, dopo aver trafficato con i suoi spinotti, aggiungeva:

«Può richiamare più tardi? La signora Hogan è in riunione».

Con il signor Schwartz, senza dubbio. Probabilmente Schwartz non le faceva neanche la corte. Era sposato con una delle più belle donne di New York, un'ex modella di cui i giornali parlavano quasi ogni settimana. Nonostante fosse un uomo che curava molto il suo aspetto, Steve, che lo aveva incontrato parecchie volte, lo trovava ripugnante.

Era sicuro che fra loro non ci fosse niente. E nonostante ciò sentiva una specie di stilettata ogni volta che Nancy diceva:

«Poco fa Max mi parlava di...».

Se si trattava di teatro sentenziava:

«È roba da quattro soldi. Max lo ha visto ieri sera».

Ecco che ricominciava con le sue geremiadi. Si stava già dimenticando che Nancy era in un letto di ospedale, ferita? Non aveva osato chiedere all'infermiera in quale punto della testa era stata colpita, né soprattutto se ne era stata sfigurata.

Con la speranza di riuscire a non pensare accese la radio, ma senza fare caso a quel che trasmetteva, finché si disse che forse ascoltare canzonette mentre si recava al capezzale della moglie era sconveniente. Ora si pentiva di non aver portato con sé i figli. Non sapeva quando avrebbe potuto passare a prenderli. I Keane chiudevano il campeggio durante l'inverno, che andavano a trascorrere in Florida. Si diceva che fossero ricchi e magari era anche vero.

Il primo cartello che indicava Hayward gli fece tornare l'ansia. Restava da percorrere appena una quindicina di miglia, su una strada piena di automobili dirette all'imbarco del traghetto per le isole.

Approfittando di una sosta si chinò sotto il cruscotto e vuotò la bottiglia prima di gettarla in un fosso.

Doveva farsi la barba e comprare della biancheria. Ma avrebbe avuto tutto il tempo, dopo. Quando arrivò in città vide che un orologio segnava mezzogiorno; gli ci volle un bel po' per districarsi nel traffico delle macchine dirette al traghetto.

«Scusi, per l'ospedale?».

Gli indicarono la strada, ma dovette chiedere informazioni una seconda volta. L'ospedale era un edificio squadrato in mattoni rosa, con tre file di finestre dietro le quali si intravedevano i letti. Nel cortile c'erano cinque auto con il contrassegno dei medici e un'ambulanza dalla quale alcuni infermieri stavano tirando fuori con cautela una barella.

Individuò l'ingresso per i degenti e i visitatori e si chinò davanti allo sportello dell'accettazione:

«Sono Steve Hogan» annunciò. «Ho telefonato poco fa dal New Hampshire a proposito di mia moglie».

Delle due infermiere, entrambe vestite di bianco, una stava telefonando e gli lanciò un'occhiata incuriosita, mentre la seconda, rossa e grassottella, mormorò:

«Non credo che lei possa salire adesso. Le visite sono consentite alle due e alle sette».

«Ma...».

Che importanza poteva avere l'orario di visita in un caso come il suo?

«La caposala mi ha detto...».

«Un momento. Si accomodi».

Nell'atrio c'erano sei persone, fra cui due bambini negri con il vestito della festa, immobili come statuine. Nessuno si occupava di lui. Sentiva le voci attraverso il vetro dello sportello. Cercavano dappertutto un medico di cui non distinse il nome e quando riuscirono a parlargli gli dissero di recarsi immediatamente al pronto soccorso, sicuramente per la persona arrivata poco prima con l'ambulanza.

Tutto era candido, luminoso e pulito come alla caffetteria; dalle vetrate penetravano i raggi del sole, mentre in un angolo una decina fra mazzi e ceste di fiori attendevano di essere portati nelle stanze.

I due bambini negri, con il berretto sulle ginocchia, erano compiti come in chiesa. Accanto a loro una donna di una certa età teneva lo sguardo fisso oltre la finestra; un uomo leggeva una rivista con la calma di chi sa di dover aspettare per ore, mentre un altro si accendeva una sigaretta consultando l'orologio.

Steve si stupì di essere molto più calmo di un quarto d'ora prima, in macchina. Attorno a lui tutti erano tranquilli. Un anziano in vestaglia bianca, con il corpo raggomitolato in una carrozzina dalle ruote di gomma che manovrava con le mani ossute, percorse tutto il corridoio per venire a dare un'occhiata. Il labbro inferiore gli pendeva e aveva un'espressione scaltra e infantile al tempo stesso. Quando ebbe esaminato a uno a uno i presenti, girò la sedia a rotelle e tornò nella sua stanza.

A Steve sembrò che ora, al telefono, stessero parlando di lui. Non osava avvicinarsi, perché sentiva che qualsiasi cosa potesse dire non sarebbe servita a niente.

«Scende lei? No? Lo faccio salire?».

La ragazza che stava parlando gli gettò un'occhiata attraverso il vetro, mentre rispondeva a una domanda:

«È difficile dirlo... Così così...».

Che cosa intendeva con quel «così così»? Forse che Steve non sembrava troppo agitato e dunque potevano lasciarlo salire?

La ragazza riagganciò e gli fece un cenno.

«Salga pure al primo piano, la caposala la aspetta».

«La ringrazio».

«Prenda l'ascensore, in fondo al corridoio a destra».

Attraverso le porte aperte vide uomini e donne stesi o seduti sui letti, alcuni in poltrona, altri con una gamba ingessata tenuta in trazione da una puleggia.

Nessuno sembrava soffrire, né mostrava disappunto o impazienza. Per poco non urtò una giovane donna che usciva dal bagno con addosso soltanto una camicia di tela grezza.

Si rivolse a un'infermiera che passava.

«Scusi, signorina... Dov'è l'ascensore?».

«La seconda porta. Sta scendendo».

Proprio in quel momento si accese una lucetta rossa che non aveva notato, e dall'ascensore uscì un medico in camice, con la bustina in testa e la mascherina che gli pendeva sul petto. Anche lui, nel passargli davanti, lo guardò.

«Primo piano».

Il vecchio dai capelli bianchi che manovrava l'ascensore aveva l'aria ancora più indifferente degli altri; a mano a mano che si addentrava nell'ospedale, a Steve pareva di perdere la propria personalità, la capacità di pensare e reagire. Ora era vicinissimo a Nancy, sotto lo stesso tetto. Ancora pochi istanti e forse l'avrebbe vista, eppure pensava appena a lei: senza che se ne rendesse conto, in lui si era creato il vuoto, perciò si limitava a seguire le istruzioni che gli venivano fornite.

I corridoi del primo piano formavano una croce, al centro della quale c'era una lunga scrivania, dove, davanti a un registro, era seduta un'infermiera con gli occhiali e i capelli grigi. Sul muro di fronte vide uno schedario, mentre accanto al registro, in un sostegno con dei fori, erano infilate alcune fiale tappate con il cotone.

«Il signor Hogan?» chiese la donna, dopo averlo

fatto restare in piedi davanti a lei per almeno un minuto senza alzare gli occhi dalle sue carte.

«Sì, signora. Come sta...».

«Si sieda».

Poi si alzò, si diresse verso uno dei corridoi e per un istante Steve si illuse che andasse a chiamare Nancy; in realtà era andata da un'altra malata e poco dopo tornò con in mano una fiala etichettata, che infilò in uno dei fori.

«Sua moglie non si è ancora svegliata. Probabilmente dormirà per un po'».

Perché pensava di dover fare cenni di approvazione con la testa e sorridere con aria grata?

«Se lo desidera può aspettare al piano terra; quando sarà possibile vederla la chiamerò io».

«Ha sofferto molto?».

«Credo di no. Da quando è stata trovata abbiamo fatto tutto il necessario. Sembra di costituzione forte».

«Non è mai stata veramente malata».

«Ha figli, vero?».

La domanda lo sorprese, soprattutto per il modo in cui era stata fatta, ma rispose come uno scolaretto:

«Due».

«Piccoli?».

«Abbiamo una figlia di dieci anni e un bambino di otto».

«Nessun aborto?».

«No».

Non osava nemmeno prendere la parola. E poi, che cosa avrebbe potuto chiedere?

«Ieri ha trascorso la giornata con lei?».

«Non tutto il giorno. Lavoriamo entrambi a New York, ma ognuno per conto proprio».

«Ma alla sera vi siete visti?».

«Abbiamo fatto una parte del viaggio insieme».

«Quando la vedrà, non dimentichi che ha subìto

un forte shock. Sarà ancora sotto l'effetto dei sedativi. Cerchi di non essere nervoso ed eviti di parlarle di qualsiasi cosa possa agitarla».

«Glielo prometto. Ma...».

«Ma cosa?».

«Volevo chiederle se ha ripreso conoscenza».

«Due volte, parzialmente».

«Ha parlato?».

«Non ancora. Credevo di averglielo detto al telefono».

«Le chiedo scusa».

«Vada giù, adesso. Ho appena fatto telefonare al tenente Murray per avvertirlo che lei è qui. Vorrà sicuramente vederla».

Si alzò e a quel punto Steve fu costretto a fare altrettanto.

«Può usare le scale. Da questa parte».

Come al piano terra tutte le porte erano aperte, e verosimilmente lo era anche quella della stanza di Nancy. Avrebbe voluto chiedere il permesso di vederla un momento, per darle almeno un'occhiata dal corridoio. Ma gliene mancò il coraggio.

Spinse la porta a vetri che gli indicarono e si trovò su una scala che una donna stava pulendo. Al piano di sotto si perse di nuovo, ma alla fine ritrovò la sala d'attesa dove ora non c'erano più i due bambini negri.

Si diresse subito verso lo sportello per comunicare:

«Mi hanno detto di aspettare qui».

«Lo so. Il tenente arriverà fra pochi minuti».

Si sedette. In tutto l'edificio era l'unico con la camicia sporca e stazzonata e la barba lunga. Rimpiangeva di non essersi rimesso in ordine prima di entrare in ospedale, dove ora non si sentiva più padrone di sé e delle proprie azioni. Avrebbe potuto comprarsi un rasoio, del sapone, uno spazzolino da denti, e andare in una stazione dei pullman, per esempio, dove ci sono dei lavandini a disposizione dei viaggiatori.

Che cosa avrebbe pensato di lui il tenente Murray trovandolo in quello stato?

Nonostante ciò, visto che qualcun altro fumava, osò accendersi una sigaretta, poi andò al distributore a bersi un bicchiere d'acqua fresca. Si sforzava di prevedere le domande che gli avrebbero fatto, di preparare le risposte adeguate, ma continuava a sentirsi la testa vuota; come la donna seduta vicino a lui, fissava attraverso la finestra aperta un albero che si stagliava contro l'azzurro del cielo, la cui staticità nell'aria immobile del mezzogiorno dava una sensazione di eternità.

Doveva fare uno sforzo per ricordarsi che cosa faceva lì, e che cosa era successo dal giorno precedente – finanche per ricordarsi chi era. Aveva davvero due figli, di cui una già grande, in un campeggio del Maine e una casa da quindicimila dollari a Long Island? E martedì mattina – solo due giorni dopo! – sarebbe toccato proprio a lui prendere posto dietro il banco della World Travellers e rispondere per ore alle domande dei clienti parlando contemporaneamente a due o tre telefoni?

Visto da lì sembrava tutto inverosimile, assurdo. E a rendere l'atmosfera ancora più irreale, poco lontano la sirena di una nave lacerò il silenzio; guardando verso l'altra vetrata Steve riusciva a vedere oltre i tetti un fumaiolo nero cerchiato di rosso e a distinguere chiaramente lo sbuffo bianco di vapore.

Una nave prendeva il largo, sullo stesso mare che aveva intravisto la mattina fra i pini del New Hampshire e che bagnava la spiaggia dove a quell'ora Bonnie e Dan stavano sicuramente giocando, chiedendosi perché i loro genitori non venivano a prenderli.

La caposala non aveva l'aria preoccupata. Forse neanche se Nancy fosse stata in pericolo di vita l'avrebbe avuta. Quanta gente moriva ogni settimana in quell'ospedale? Ne parlavano? Dicevano: «La signora della 7 è morta stanotte»?

Probabilmente facevano uscire i morti da una porta secondaria, all'insaputa degli altri malati. Il vecchio con la sedia a rotelle venne a fare un giretto per vedere se c'erano facce nuove e sembrò deluso di non trovarne.

Un'auto si fermò sull'acciottolato del vialetto. Steve non si alzò per andare a vedere. Non ne aveva il coraggio. Aveva sonno e gli bruciavano le palpebre. Sentì che qualcuno stava entrando ed ebbe la certezza che fosse per lui, ma non si mosse.

A passi decisi un tenente della polizia di Stato, con gli stivali lucidi e le guance lisce e colorite come quelle dell'anziano signore della Cadillac, avanzò nell'atrio e si chinò davanti allo sportello: l'infermiera si limitò ad additargli Steve.

6

Quando era salito al piano di sopra per incontrare la caposala non lo aveva notato: sulla prima porta a sinistra del corridoio – aperta, come le altre – c'era la scritta «direttore». Nella stanza stava lavorando un uomo calvo, in maniche di camicia, cui il tenente si rivolse in tono familiare:

«Posso usare un momento la sala del consiglio?».

Il direttore riconobbe la voce e, senza voltarsi, si limitò a rispondere con un cenno del capo. Era la stanza successiva, immersa in una penombra dorata per via delle sottili lame di luce che filtravano attraverso le veneziane abbassate. Sulle pareti color pastello erano appese le fotografie di vecchi e distinti signori, probabilmente i fondatori dell'ospedale. Al centro della stanza campeggiava un lungo tavolo così lucido che ci si poteva specchiare, attorniato da una decina di sedie foderate di cuoio chiaro.

Anche qui la porta veniva lasciata aperta sul corridoio, dove di tanto in tanto passava un'infermiera o un degente. Il tenente prese posto a un'estremità del tavolo, con le spalle alla finestra, estrasse dalla tasca un taccuino, lo aprì a una pagina bianca e regolò la mina della matita.

«Si accomodi».

Nell'atrio aveva appena guardato Steve, limitandosi a fargli cenno di seguirlo; senza mostrare maggiore interesse, scrisse in cima alla pagina qualche parola in una calligrafia minuta, consultò l'orologio da polso e annotò l'ora come se fosse un dato importante.

Era un uomo di una quarantina d'anni, con un fisico da atleta e una leggera tendenza alla pinguedine. Quando si tolse il cappello e lo posò sul tavolo a Steve sembrò più giovane, più rassicurante con i suoi capelli corti biondo-rossicci, ricciuti come lana d'agnello.

«Il signor Hogan, vero?».

«Sì. Stephen Walter Hogan. Ma tutti mi chiamano Steve».

«Luogo di nascita?».

«Groveton, nel Vermont. Mio padre era rappresentante di prodotti chimici».

Una precisazione ridicola. Ma non gli andava che la gente, sentendo che veniva dal Vermont, mormorasse:

«Ah, un agricoltore».

Invece suo padre faceva tutt'altro mestiere, e anche suo nonno, che era stato vicegovernatore. Al contrario del padre di Nancy, che faceva l'agricoltore nel Kansas e discendeva da immigrati irlandesi.

«Indirizzo?» proseguì il poliziotto con voce neutra, senza alzare la testa dal suo taccuino.

«Scottville, Long Island».

Dalla finestra aperta entrava nella stanza una leggera brezza; i due uomini occupavano soltanto una minuscola porzione del monumentale tavolo, attorno al quale otto sedie erano rimaste vuote. Nonostante la gradevolezza della corrente d'aria fresca, Steve avrebbe preferito che la porta fosse chiusa, perché l'andirivieni in corridoio lo distraeva, ma non spettava a lui proporlo.

«Età?».

«Trentadue anni. Trentatré a dicembre».

«Professione?».

«Impiegato alla World Travellers, di Madison Avenue».

«Da quanto tempo?».

«Dodici anni».

Non vedeva l'utilità di annotare questi dettagli nel taccuino.

«L'hanno assunta a diciannove anni?».

«Sì, subito dopo il secondo anno di università».

«Suppongo che lei sia certo che la donna ferita è proprio sua moglie. L'ha vista?».

«Non me lo hanno ancora permesso. Però sono sicuro che è lei».

«Ha letto la descrizione pubblicata sui giornali?».

«Sì, e ho letto anche dove è successo».

«C'era anche lei?».

Questa volta alzò la testa, ma lo sguardo che posò su Steve quasi senza volerlo era ancora indifferente. Malgrado ciò Steve arrossì, esitò, deglutì prima di balbettare:

«Be', in realtà ero sceso un attimo dalla macchina di fronte a un bar e...».

L'altro lo fermò con un gesto.

«Credo che sarebbe meglio cominciare dall'inizio. Da quanto è sposato?».

«Undici anni».

«Quanti anni ha sua moglie?».

«Trentaquattro».

«Lavora anche lei?».

«Per la ditta Schwartz & Taylor, al 625 della Quinta Avenue».

Si sforzava di rispondere con esattezza, abbandonando a poco a poco l'idea che quelle domande non avessero importanza. Il tenente non era poi molto più vecchio di lui. Portava la fede e probabilmente aveva dei figli. Per quanto ne sapeva, doveva avere all'incirca il suo stesso reddito, lo stesso genere di casa e di vita familiare. E allora perché si sentiva a disagio di fronte a lui? Da qualche minuto provava la stessa timidezza di quando era a scuola, di fronte ai suoi insegnanti, la stessa che aveva provato per tanto tempo nei riguardi del suo capo, e che non aveva mai perso nei confronti del signor Schwartz.

«Ha figli?».

«Due, un maschio e una femmina».

Preferì non aspettare la domanda successiva.

«La femmina ha dieci anni, il maschio otto. Tutti e due hanno trascorso l'estate al campeggio Walla Walla, nel Maine, dai signori Keane. Ieri sera stavamo giusto andando a prenderli».

Avrebbe apprezzato un sorriso, un cenno di incoraggiamento. Ma il tenente si limitava a scrivere non si sa cosa, e Steve tentava invano di leggere di traverso. Non era un uomo scortese, e nemmeno maldisposto o minaccioso. Probabilmente era stanco anche lui, magari perché aveva trascorso la notte di pattuglia e non aveva chiuso occhio. Ma almeno aveva potuto farsi una doccia e radersi!

«A che ora avete lasciato New York?».

«Poco dopo le cinque, al massimo alle cinque e venti».

«È andato a prendere sua moglie in ufficio?».

«Ci siamo trovati come sempre in un bar della Quarantacinquesima».

«Che cosa avete bevuto?».

«Un martini. Poi siamo passati da casa per mangiare un boccone e prendere i bagagli».

«Ha bevuto qualcos'altro?».

«No».

Aveva esitato a mentire. Per tranquillizzarsi fu costretto a dirsi che in fondo non stava deponendo sotto giuramento. Non capiva perché lo interrogas-

111

sero così scrupolosamente, quando lui era venuto per riconoscere la moglie che era stata aggredita per strada.

A farlo sentire ancora più a disagio fu la comparsa del vecchio in sedia a rotelle, che si fermò sulla porta a guardarlo e, per effetto del labbro cadente e della paresi al volto, sembrava sogghignare in silenzio.

Il tenente invece non se ne accorse nemmeno.

«Immagino che abbiate portato con voi effetti personali per un paio di giorni. Intendeva questo quando parlava di bagagli?».

«Sì».

Il colloquio era appena cominciato e già una domanda apparentemente semplicissima lo aveva messo in una posizione delicata.

«A che ora avete lasciato Long Island?».

«Verso le sette o le sette e mezzo. All'inizio siamo dovuti andare molto piano, per via del traffico».

«In che rapporti è con sua moglie?».

«Ottimi».

A causa del taccuino in cui il tenente registrava le sue risposte non aveva osato rispondere:

«Ci amiamo».

Eppure era la verità.

«Dove vi siete fermati la prima volta?».

Questa volta non cercò nemmeno di mentire.

«Non lo so di preciso. Quasi subito dopo la Merrit Parkway. Non ricordo il nome del posto».

«Sua moglie è scesa con lei?».

«No, è rimasta in macchina».

Non aveva niente da nascondere, eccetto Sid Halligan, ma poiché lo aveva incontrato parecchio tempo dopo l'ora in cui era stata aggredita la moglie, quel che era accaduto con Sid non aveva nulla a che vedere con lei.

«Che cosa ha bevuto?».

«Un rye».

112

«E basta?».

«Sì».

«Doppio?».

«Sì».

«Quando avete cominciato a litigare?».

«Non è che abbiamo proprio litigato. Sapevo che Nancy non approvava che mi fossi fermato a bere un bicchiere».

Intorno a loro tutto era così tranquillo e silenzioso da farli sembrare sospesi in un mondo irreale, in cui contavano soltanto le imprese di un certo Steve Hogan. La sala del consiglio, con il suo lungo tavolo, era diventata uno strano tribunale dove non c'erano né accusa né giudice, ma soltanto un funzionario che registrava le sue parole e, alle pareti, sette signori morti da chissà quanto che rappresentavano l'eternità.

Non si ribellava. Neanche una volta gli venne la tentazione di alzarsi e dire che erano solo fatti suoi, dal momento che era un libero cittadino, e semmai spettava a lui chiedere conto alla polizia per aver lasciato che uno sconosciuto aggredisse sua moglie lungo una strada.

Al contrario, si sforzava di spiegare.

«In queste situazioni, anche a me basta poco per mettermi di cattivo umore e tendo a farle dei rimproveri. Immagino che succeda a tutte le coppie».

Murray non sorrideva né assentiva, seguitava a scrivere, indifferente, come se non toccasse a lui esprimere un giudizio.

Un'infermiera che Steve non aveva mai visto si fermò davanti alla porta e bussò sullo stipite per attirare la loro attenzione.

«Viene a dare un'occhiata al ferito, tenente?».

«Come sta?».

«Gli stiamo praticando una trasfusione. Ha ripreso conoscenza e sostiene di essere in grado di descrivere l'auto che lo ha investito».

«Dica al sergente che è in macchina di prendere nota della deposizione e di fare il necessario. Io andrò da lui più tardi».

E riprese il filo dell'interrogatorio.

«Nel bar in cui si è fermato...».

«Quale?».

Aveva parlato troppo in fretta, ma non era poi così importante, visto che ci sarebbero arrivati comunque.

«Il primo. Non ha per caso attaccato discorso con uno dei suoi vicini, al banco?».

«No, non in quello là».

Si sentiva umiliato da quello che fatalmente sarebbe stato il seguito del discorso. Il giorno prima, quando lungo le autostrade si fermavano a bere uno o due milioni di americani come lui, le sue azioni sembravano tutte banali e innocenti, ma ora assumevano una connotazione diversa anche ai suoi occhi; si passò una mano sulle guance, come se la barba lunga fosse un segno di colpevolezza.

«Sua moglie ha minacciato di lasciarla?».

Non capì subito la portata di quella domanda. Chissà se il tenente si rendeva conto che non aveva dormito e si trovava in un tale stato di prostrazione che doveva fare un grande sforzo per capire il significato delle parole.

«Solo quando mi sono voluto fermare una seconda volta» rispose.

«In precedenza le aveva mai fatto questa minaccia?».

«Non ricordo».

«Ha parlato di divorzio?».

Steve lanciò al tenente uno sguardo pieno di collera, aggrottò la fronte e scagliò un pugno sul tavolo.

«Assolutamente no! Che le viene in mente? Ho bevuto un bicchiere di troppo. Avevo voglia di berne un altro. Ci siamo scambiati qualche frase più o meno aspra. E mia moglie mi ha avvertito che, se scendevo ancora una volta dalla macchina per entrare in un bar, avrebbe continuato il viaggio senza di me...».

A poco a poco la collera si trasformava in doloroso stupore.

«Ha veramente pensato che mia moglie mi volesse lasciare sul serio? Ma allora...».

Quella eventualità gli spalancava davanti un tale baratro che non c'erano parole per esprimere ciò che provava. Era peggio di tutto quello che aveva immaginato. Se il tenente annotava così minuziosamente le sue risposte, se manteneva un'espressione impassibile, senza concedergli la comprensione che di solito si ha verso qualsiasi uomo la cui moglie è appena stata gravemente ferita, era perché supponeva che fosse stato Steve a...

Dimenticandosi della porta aperta, alzò la voce ma senza indignazione, perché era troppo sconcertato per indignarsi:

«Lo ha veramente pensato! Ma tenente, mi guardi, la prego, mi guardi e mi dica se ho la faccia di uno che...».

Il fatto è che ce l'aveva davvero la faccia di uno che poteva aver fatto una cosa simile, con gli occhi che parevano liquidi, le palpebre gonfie, la barba di due giorni e la camicia sporca. Il suo alito puzzava di whisky e le mani, appena le alzava dal tavolo, cominciavano a tremare.

«Lo chieda a Nancy. Le dirà che mai...».

Si interruppe, perché si sentiva soffocare.

«Lo ha pensato!» ripeté.

Dopodiché si lasciò ricadere sulla sedia, rassegnato, senza più né la forza né la voglia di difendersi. Facessero di lui quel che volevano! Tanto fra poco Nancy glielo avrebbe detto...

All'improvviso un altro orribile pensiero si fece strada nella sua testa, fino a occupare tutto lo spazio, cancellando ogni altro pensiero: e se Nancy non avesse ripreso conoscenza?

Sconvolto guardò il tenente, che mentre regolava la mina della matita gli disse pacatamente:

«Per una ragione che fra poco le dirò dalle dieci di stamani sappiamo che non è stato lei ad aggredire sua moglie».

«E prima delle dieci?».

«Fa parte del nostro mestiere esaminare tutte le possibilità senza scartarne nessuna a priori. Si calmi, signor Hogan. Non era nelle mie intenzioni innervosirla con domande subdole. È stato lei a trarre conclusioni del tutto personali. Tuttavia, se litigi come quello di questa notte fossero stati frequenti, era possibile che sua moglie considerasse l'ipotesi del divorzio. Volevo dire solo questo».

«Ma ci capita una volta l'anno, di litigare, anche meno. Non sono un ubriacone e nemmeno quello che si definisce un bevitore. Io...».

Questa volta il tenente andò a chiudere la porta, poiché un bambino si era fermato sulla soglia ad ascoltare. Quando tornò a sedersi, Steve, che si domandava che cosa poteva essere accaduto quella mattina alle dieci, gli chiese:

«Avete arrestato l'aggressore?».

«Adesso ci arriviamo. Per quale motivo, quando lei si è fermato al secondo bar, sua moglie non se n'è andata con la macchina, come aveva minacciato di fare?».

«Perché mi ero messo in tasca le chiavi».

Avrebbero capito finalmente che era tutto semplicissimo?

«Volevo darle una lezione. Pensavo che se la meritasse, perché è una donna con troppe certezze. Dopo un paio di bicchieri si vedono le cose sotto un'altra luce. Specie con il rye, che a me non fa un granché bene».

Si difendeva senza convinzione, non credeva più

alle proprie parole. Che cosa gli avrebbe chiesto ancora? Si era immaginato che l'unico risvolto imbarazzante riguardasse Halligan, e finora di lui non avevano parlato.

«Sa che ora era quando è sceso dall'auto?».

«No. È un pezzo che l'orologio sul cruscotto ha smesso di funzionare».

«Sua moglie non le ha detto che sarebbe andata via comunque?».

Dovette fare uno sforzo. Non ci capiva più niente.

«No. Non mi pare».

«Ne è sicuro?».

«No, aspetti. Credo che se mi avesse parlato del pullman non l'avrei lasciata fare, poiché sapevo che sarebbe stata capace di prenderlo. Adesso ne sono certo. Solo dopo, quando ho visto le luci dell'incrocio, ci ho pensato. E poi, guardi, ora mi viene in mente che non trovandola in macchina ho cominciato a chiamarla nel buio del parcheggio».

Non ricordava il biglietto che Nancy aveva lasciato sul sedile.

«Ha osservato le altre auto?».

«Un momento».

Voleva dimostrare la sua buona volontà, aiutare la polizia come meglio poteva.

«Mi è sembrato che ci fossero soltanto vecchie bagnarole e furgoni. A meno che non si riferisca a un altro bar».

«Il locale si chiama Armando's?».

«Può darsi. Il nome mi dice qualcosa».

«Lo riconoscerebbe?».

«Penso di sì. A destra del banco c'era un televisore».

Preferì non fare cenno alla bambina con la tavoletta di cioccolato rinchiusa nel ripostiglio.

«Continui».

«C'era un sacco di gente, uomini e donne. Ricordo una coppia, due che non si muovevano e non dicevano una parola».

«Non ha notato nessuno in particolare?».

«... No».

«Ha parlato con qualcuno?».

«Un tizio vicino a me mi ha offerto da bere. Stavo per rifiutare quando il proprietario mi ha fatto segno di accettare, penso perché quell'uomo, che era già su di giri, avrebbe insistito e forse creato scompiglio. Sa come vanno queste cose».

«Ha ricambiato la cortesia?».

«Sì, probabilmente».

«Gli ha parlato di sua moglie?».

«Può darsi. O forse delle donne in generale».

«E non ha raccontato la storia delle chiavi?».

Si sentiva spossato. Non sapeva più. Pur con tutta la buona volontà del mondo cominciava a confondere i fatti, mescolando le frasi scambiate con l'uomo biondo dagli occhi azzurri con i discorsi fatti a Halligan. Nella sua memoria sovrapponeva perfino i locali. Gli faceva male la testa fino alle arcate sopraccigliari. Aveva la camicia incollata alla pelle e si rendeva conto di emanare un cattivo odore.

«Non ha notato se l'uomo è uscito prima di lei?».

«Sono certo di no. Sono andato via prima io».

«Ne è proprio sicuro?».

A quel punto non era più sicuro di niente.

«Giurerei di essere uscito per primo. Ricordo che ho pagato e mi sono diretto verso la porta. Poi mi sono voltato. Sì, era ancora là».

«E invece sua moglie non era più in macchina».

«Esatto».

Bussarono alla porta. Era un sergente in uniforme, che fece capire al suo superiore che voleva parlargli. Lasciava vedere una mano sola, come se nell'altra tenesse qualcosa che Steve non doveva vedere.

Il tenente si alzò e scambiò qualche parola con lui a bassa voce, dietro la porta. Murray rientrò da solo e senza dire niente gettò sul tavolo un groviglio di vestiti e biancheria: la roba di Nancy che avevano trovato nel bagagliaio della macchina.

Se avevano perquisito l'auto parcheggiata nel cortile dell'ospedale, significava che lo sospettavano di qualcosa.

Il poliziotto riprese il suo posto all'estremità del tavolo, evitando qualunque accenno a quel che era appena successo.

«Eravamo arrivati al momento in cui è uscito da Armando's» disse con lo stesso tono indifferente «e si è accorto che sua moglie era sparita».

«L'ho chiamata, pensando che stesse facendo due passi per sgranchirsi le gambe».

«Pioveva?».

«No... Sì...».

«Non ha visto nessuno nelle vicinanze del parcheggio?».

«Nessuno».

«È partito subito?».

«Quando ho notato che c'era un incrocio poco lontano mi sono ricordato della minaccia di Nancy e ho pensato al pullman. L'idea mi è venuta probabilmente perché all'inizio della serata avevamo incontrato un Greyhound. Ho guidato lentamente guardando il lato destro della strada. Speravo di raggiungerla».

«Non l'ha vista?».

«Non ho visto niente».

«Quanto tempo si è trattenuto da Armando's?».

«Direi dieci minuti, un quarto d'ora al massimo».

«Ma potrebbe esserci rimasto più a lungo?».

Steve rivolse al suo torturatore un sorriso che sembrava chiedere pietà.

«Al punto in cui sono...» mormorò amaramente.

Quasi non si ricordava più di aver ritrovato Nancy, e che lei era a due passi da lui, e che di lì a poco l'avrebbe rivista, le avrebbe parlato, magari l'avrebbe

stretta fra le braccia. Non era neanche sicuro che
glielo avrebbero permesso...

La cosa più strana era che non li odiava, che aveva smesso di ribellarsi e si sentiva veramente colpevole.

Per una crudele ironia della sorte proprio allora
gli tornò in mente a brandelli il discorso che aveva
tenuto con voce impastata a Sid Halligan. Era partito dalla faccenda dei binari, ovviamente, dai binari
e dall'autostrada, per arrivare a quelli che hanno
paura della vita perché non sono veri uomini.

«Allora, capisci, creano delle regole, che chiamano leggi, e chiamano peccato tutto ciò che li spa-
venta negli altri. Questa è la verità, caro mio! Se non
se la facessero sotto, se fossero dei veri uomini, non
avrebbero bisogno di polizia e tribunali, di chiese e
preti, e neanche di banche, assicurazioni sulla vita,
scuole domenicali e semafori agli angoli delle strade. Un tipo come te se ne sbatte di queste cose, no?
Li stai prendendo tutti per i fondelli. Ti cercano in
centinaia per le strade, alla radio non fanno che
sbraitare continuamente il tuo nome, e tu che cosa
fai? Guidi tranquillamente la mia macchina fuman-
do una sigaretta e infischiandotene di loro!».

Il discorso era stato più lungo, confuso, e ora ricordava di aver sperato nell'approvazione del compagno; gli sarebbe bastata una parola, un gesto, ma
Halligan non sembrava ascoltare. Forse si era limita-
to a dirgli ancora una volta, con la sigaretta incollata alle labbra:

«Chiudi il becco!».

Quella mattina si era ripromesso di chiedere perdono a Nancy. Tuttavia non era solo a lei che doveva
rendere conto, ma a un intero mondo, rappresenta-
to dal tenente con i capelli riccioluti e rossicci, che
aveva dei diritti su di lui.

«Quando sono arrivato alla fermata, sono entrato
a chiedere nella caffetteria all'angolo. La donna che

stava al banco glielo potrà confermare. Le ho chiesto subito se aveva visto mia moglie».

«Lo so».

«Glielo ha detto?».

«Sì».

Non avrebbe mai immaginato che un giorno le sue azioni e i suoi movimenti avrebbero assunto una tale importanza.

«Vi ha anche riferito che è stata lei a dirmi che il pullman era appena passato?».

«Sì. Poi è risalito in macchina e – sue testuali parole – è ripartito come un pazzo».

Fu il solo momento in cui il tenente si lasciò sfuggire un accenno di sorriso.

«Contavo di raggiungere il pullman e supplicarla di venire con me».

«E ce l'ha fatta?».

«No».

«A che velocità andava?».

«In qualche tratto ho superato le settanta miglia. È incredibile che nessuno mi abbia fatto una multa».

«Soprattutto è un miracolo che non abbia avuto un incidente».

«Sì» ammise a testa bassa.

«E correndo a quella velocità non è riuscito a raggiungere un pullman che non supera le cinquanta miglia all'ora. Come se lo spiega?».

«Ho sbagliato strada».

«Sa da che parte è andato?».

«No. Già una volta ieri sera, quando mia moglie era ancora con me, avevo preso una strada per un'altra, poi però eravamo riusciti a rientrare in autostrada. Ma da solo mi sono messo a girare in tondo».

«Senza mai fermarsi?».

E adesso, che avrebbe fatto? L'istante che temeva da quando aveva aperto gli occhi, e si era ritrovato solo in macchina sul margine della pineta, era arrivato. Quella mattina aveva deciso di non dire niente, senza sapere bene il perché. Certamente gli sembrava umiliante confessare a Nancy i suoi rapporti con Halligan. Ma in quella decisione c'era anche il desiderio di evitare un lungo interrogatorio della polizia.

Adesso però l'interrogatorio lo stava subendo, volente o nolente, da circa un'ora. Si chiedeva come poteva essere stato preso nell'ingranaggio e ripensava a quando, seguendo il tenente, era entrato lì dentro, con la mente abbastanza sgombra da notare le fotografie dei vecchi signori alle pareti.

Pensava che sarebbe stata una pura formalità. All'inizio aveva raccontato più di quanto gli veniva chiesto. Ma ora si sentiva un animale braccato. Non si trattava più di Nancy o di Halligan, si trattava di lui, e non si sarebbe stupito poi tanto se gli avessero detto che era in gioco la sua stessa vita.

Per trentadue anni, quasi trentatré, era stato un uomo onesto. Aveva seguito i binari, come aveva proclamato con tanta veemenza quella notte: bravo figlio, scolaro diligente, impiegato, marito, padre di famiglia, proprietario di una casa a Long Island. Non aveva mai infranto la legge, non era mai comparso dinanzi a un tribunale e tutte le domeniche mattina andava a messa con la famiglia. Era un uomo felice. Non gli mancava niente.

Ma allora da dove venivano fuori tutte quelle rimostranze, quando beveva un bicchiere di troppo e cominciava a prendersela prima con Nancy e poi con il mondo intero? Bisognava pure che scaturissero da qualche parte. Ogni volta era la stessa storia, e ogni volta la sua ribellione seguiva esattamente lo stesso corso.

Se davvero pensava quel che diceva, se tutto ciò faceva parte di lui, del suo carattere, perché il giorno dopo, al risveglio, non avrebbe dovuto continuare a pensarlo?

Invece l'indomani il suo primo sentimento era sempre di vergogna, una vergogna associata a un vago timore, come se si rendesse conto di essere in difetto nei riguardi di qualcuno o qualcosa: verso Nancy, innanzitutto, alla quale chiedeva scusa, ma anche nei confronti della comunità, di un'entità superiore non ben definita che un giorno gli avrebbe chiesto ragione del suo comportamento.

Ora quel momento era arrivato. Non lo avevano ancora accusato di niente. Il tenente non gli aveva mosso alcun rimprovero, ma si limitava a porre domande e annotare risposte, cosa che Steve percepiva come una minaccia ancora più grande, e gettando sul tavolo la roba di Nancy non aveva fatto commenti.

Che cosa impediva a Steve di confessare tutto senza aspettare di essere messo alle strette?

A questa domanda non osava rispondere. E poi, nella sua testa, tutto restava confuso. Dopo quello che era successo fra loro la notte precedente, tradire Halligan non sarebbe stata forse una carognata, un atto da vigliacchi?

Era sempre più convinto di essere stato suo complice. E di fronte alla legge lo era, perché non solo non aveva tentato di impedirgli di fuggire, ma lo aveva addirittura aiutato, e non certo perché l'altro lo teneva sotto tiro.

Non bisognava dimenticare che in quel momento stava vivendo la sua grande notte!

La mattina aveva telefonato agli alberghi, agli ospedali, alla polizia senza mai fare cenno all'evaso da Sing Sing...

Gli restavano pochi secondi per decidere. Il tenente non gli metteva fretta e aspettava con ammirevole pazienza.

Qual era stata la sua ultima domanda?

«Senza mai fermarsi?».

«Mi sono fermato un'altra volta» rispose.

«Sa dirmi dove?».

Rimase in silenzio, con lo sguardo fisso sui riflessi dorati del tavolo, sicuro che il poliziotto stesse soppesando il suo silenzio.

«In una log cabin».

L'altro insistette:

«Dove?».

«Poco prima di Providence. È giusto accanto a un ristorante».

Senza capire perché, sentì che la tensione nell'aria si era allentata. Ma per quale motivo quella risposta poteva aver sollevato il tenente, che adesso, di punto in bianco, lo guardava non più come un funzionario ligio alle procedure ma, almeno così gli parve, come un uomo?

Ne fu commosso. Anche la mattina lo avevano guardato in quel modo, ma sia la cameriera della caffetteria sia la centralinista che si era interessata alla sua vicenda vedevano in lui soltanto uno che aveva appena ricevuto una brutta notizia. Non sapevano niente della notte che aveva passato. Solo il proprietario del garage aveva avuto qualche sospetto.

Chissà, forse l'uomo con il sigaro aveva deciso di parlarne alla polizia. Era verosimile. In fondo Steve non gli aveva fornito nessuna spiegazione plausibile a proposito del bagagliaio, dove non è usuale trovare della biancheria da donna in mezzo agli attrezzi. Non gli aveva nemmeno detto dove e come aveva perso portafogli e documenti.

Tutto era possibile, e adesso era certo che il tenente Murray sapesse già ogni cosa prima ancora di sedersi con lui a un'estremità del lungo tavolo, intorno al quale otto sedie erano rimaste vuote.

Anche il tenente sembrava notare ogni sfumatura e gli bastò dare un'occhiata al proprio interlocutore per capire che non chiedeva altro che di vuotare il sacco.

«Le ha detto come si chiamava?» domandò come se fosse sicuro di essere capito.

«Non ricordo se me lo ha detto lui. Aspetti...».

Adesso sorrideva del suo stesso turbamento.

«Ho le idee talmente confuse!... Sono stato io... Sì, sono quasi certo di averlo capito da solo quando l'ho trovato seduto nella mia macchina... Alla radio avevano appena parlato di lui...».

Stava risalendo alla superficie, poteva tornare a respirare. Quando sentì bussare alla porta si voltò a guardarla contrariato.

«Avanti!».

La caposala del primo piano si rivolse direttamente al poliziotto, che anche lei sembrava conoscere bene.

«Il dottore dice che può salire».

La donna si avvicinò al tenente, si chinò e gli parlò all'orecchio. L'altro scosse la testa e lei riprese a parlargli.

«Senta, Hogan,» disse finalmente Murray «fin qui non ho avuto modo di metterla al corrente di certi fatti. Ma è un po' colpa sua. A me interessava prima di tutto...».

Steve fece cenno che capiva. Se avesse parlato subito la cosa si sarebbe conclusa da un pezzo. Adesso la sua ostinazione gli sembrò ridicola.

«Sua moglie è fuori pericolo. Su questo il medico è categorico. Però è ancora sotto shock. Qualsiasi cosa faccia o dica, è importante che lei resti calmo».

Non capiva esattamente che cosa significasse e, con la gola stretta, disse docilmente:

«Lo prometto».

Tutto quello che sapeva era che tra poco l'avrebbe vista, e sentiva una specie di brivido lungo la schiena. Seguì l'infermiera nel corridoio, tallonato dal tenente che camminava senza produrre il minimo rumore.

Non presero l'ascensore, ma le scale, e raggiunsero il punto di incrocio dei corridoi. In seguito gli sarebbe stato impossibile dire se avevano girato a destra o a sinistra. Passarono davanti a tre porte aperte; lui evitò di guardarvi dentro. Dalla quarta sala uscì un medico che fece cenno all'infermiera che andava tutto bene, gettò una lunga occhiata a Steve e strinse la mano al tenente.

«Come stai, Bill?».

Quelle parole gli si impressero nella memoria come se fossero state di capitale importanza. Si sentiva le gambe molli. A sinistra, lungo la parete, vide tre letti, non sei come si era immaginato la mattina: seduta sul suo una vecchia leggeva vicino alla finestra; un'altra, con i capelli raccolti in trecce, se ne stava sulla sedia e una terza sembrava dormire e respirava affannosamente. Nancy non era qui, ma sul lato destro, dove si trovavano altri tre letti. Il suo era parzialmente nascosto dalla porta.

Appena la vide, pronunciò il suo nome con un soffio di voce; poi lo ripeté più forte, cercando di assumere un tono gioioso, per non spaventarla. Non capiva perché lo guardava con aria impaurita, tanto che l'infermiera credette necessario accarezzarle una spalla mormorando:

«È arrivato, ha visto? È contento di vederla. Andrà tutto bene!».

«Nancy!» chiamò senza riuscire più a nascondere la propria angoscia.

Steve non riconosceva il suo sguardo. Forse le bende che le fasciavano la testa fino all'altezza delle sopracciglia e le nascondevano le orecchie cambiavano l'aspetto del viso. Era così smunta da sembrare senza vita; anche le labbra, a causa del pallore, gli sembrarono diverse. Non le aveva mai viste così sottili e serrate, simili a quelle di una donna anziana. Tutto si aspettava, tutto poteva e doveva aspettarsi, tranne quello sguardo sfuggente che rivelava paura di lui.

Allora fece due passi in avanti e le prese una mano posata sul lenzuolo.

«Nancy, tesoro mio, ti chiedo perdono...».

Fu costretto a chinarsi per riuscire a sentire:

«Sta' zitto...».

«Nancy, sono qui, il dottore dice che guarirai presto. Va tutto bene. Noi...».

Perché continuava a rifiutarsi di guardarlo e volgeva il viso verso la parete?

«Domani andrò al campeggio a prendere i bambini. Stanno bene anche loro. Vedrai...».

«Steve!».

Gli parve di capire che Nancy voleva che si abbassasse ancora di più.

«Dimmi. Ti ascolto. Sono così felice di rivederti! Sapessi quanto ho maledetto la mia stupidità!».

«Zitto!...».

Voleva parlare lei, ma prima doveva riprendere fiato.

«Ti hanno raccontato?» gli chiese, mentre Steve vedeva che gli occhi le si riempivano di lacrime e i denti si stringevano al punto da sentirli stridere.

L'infermiera gli toccò un braccio come per comunicargli qualcosa e lui mormorò:

«Ma certo. Mi hanno raccontato».

«Potrai mai perdonarmi?».

«Ma sono io, Nancy, a chiederti perdono, sono io che...».

«Zitto!» ripeté.

Lentamente girò il viso per guardarlo, ma appena Steve si chinò per sfiorarla con un bacio lo respinse con la debole forza delle braccia gridando:

«No! No! No! Non posso!».

Si sollevò, sconcertato, mentre entrava il dottore e avanzava verso il letto di Nancy. L'infermiera bisbigliò:

«Venga, ora. Meglio lasciarla in pace».

7

Gli sembrava che tutto accadesse su un altro pianeta. Non gli veniva in mente di fare domande né di prendere una decisione o una iniziativa qualunque, e probabilmente non si sarebbe sorpreso se qualcuno gli fosse passato attraverso come se fosse stato un fantasma.

Tenendogli una mano sulla spalla il tenente lo condusse verso una finestra in fondo al corridoio. Dovettero farsi largo tra la folla che, come a un segnale convenuto, aveva invaso il reparto: donne, uomini, ragazzini vestiti a festa, molti dei quali portavano fiori, frutta o un pacchetto di dolci; un uomo dell'età di Steve, con baffetti castani e un cappello di paglia, si affannava verso chissà quale meta stringendo in mano due coni gelato.

Steve non si chiedeva cosa stava succedendo né capiva per quale gioco di prestigio due bambini negri che aveva già visto, non ricordava dove, tornassero ora a far parte del suo universo tenendosi per mano per paura di perdersi.

«È inutile provare a interrogare sua moglie adesso, con tutto questo viavai» disse il tenente, che all'improvviso si era rivolto a Steve come se dovesse giustificarsi di qualcosa o avesse bisogno della sua approvazione. «In ogni caso è meglio darle il tempo di riprendersi. Ho chiesto al dottore di domandarle l'unica cosa che conta in questo momento».

La caposala, con cui tutti cercavano di parlare, non si occupava più di loro né di Nancy. Il tenente porse a Steve il suo pacchetto di sigarette e un cerino acceso.

«Se non le dispiace aspettarmi qui, vado a dare un'occhiata al mio ferito. Sarà tutto tempo risparmiato».

Tre minuti o un'ora non facevano più differenza per Steve. Appoggiato alla finestra, lasciava lo sguardo vagare davanti a sé con lo stesso interesse che avrebbe mostrato osservando dei pesci agitarsi nell'acqua trasparente e non capiva che i gesti di incoraggiamento che l'infermiera talvolta faceva nella sua direzione erano rivolti a lui.

Il dottore uscì dalla stanza e gettò un'occhiata da una parte e dall'altra del corridoio. Parve sorpreso e si rivolse all'infermiera, che gli rispose brevemente indicandogli le scale. Il dottore scese anche lui.

Una giovane donna in vestaglia camminava a passi lenti nel corridoio, sorretta dal marito da un lato e tenendo per mano una bambina dall'altro; sorrideva estasiata, come se avesse sentito una musica celestiale. Ovunque c'era gente che parlava, entrava e usciva, gesticolava senza una ragione apparente. Quando il tenente apparve vicino alla porta a vetri delle scale e gli fece segno di raggiungerlo, Steve si sentì sollevato al pensiero di non doversi più occupare di se stesso.

«Il dottore ritiene, come me, che sia preferibile che non la veda più fino a stasera, o forse anche fino a domattina. Glielo confermerà dopo la visita delle sette. Se vuole venire con me vado alla centrale, ma prima devo dare un colpo di telefono».

Si avvicinò all'apparecchio dell'infermeria e chiese la comunicazione. Steve aspettava, senza preoccuparsi di ascoltare ciò che diceva. Udì soltanto qualche parola, che alle sue orecchie non aveva alcun significato:

«... certo, come pensavamo... Del tutto formale... Sto arrivando...».

Steve lo seguì per le scale, nel corridoio del pianterreno, poi ancora nell'atrio e infine nel giardino dell'ospedale, i cui vialetti erano pieni di automobili.

Il sole, i rumori, l'andirivieni della gente lo stordivano. Il mondo intero era in effervescenza. Salì meccanicamente sul sedile posteriore della macchina della polizia, mentre il tenente prendeva posto al suo fianco, chiudeva la portiera e ordinava al sergente che era alla guida:

«Alla centrale!».

Passando Steve vide la sua auto, che non aveva più un aspetto familiare e non sembrava nemmeno più appartenergli.

Tutte le strade che attraversavano brulicavano di folla: gente in calzoncini, uomini a torso nudo, ragazzini con costumi da bagno colorati, ovunque si mangiava o si sorbivano gelati, le macchine strombazzavano, le ragazze ridevano rovesciando la testa all'indietro o appoggiandosi al braccio dei fidanzati, mentre gli altoparlanti stendevano su ogni cosa come una coltre di musica.

«Immagino che vorrà procurarsi un paio di camicie...».

L'automobile si fermò davanti a un negozio che esponeva sul marciapiede articoli da spiaggia.

Steve ebbe abbastanza lucidità per chiedere due camicie bianche a maniche corte, specificare la taglia, prendere il resto e tornare in macchina, dove i due uomini lo aspettavano.

«In ufficio ho un rasoio e tutto l'occorrente. Potrà darsi una rinfrescata. Se non sarò libero io, la farò riaccompagnare con una delle nostre auto. Temo solo che non le sarà facile trovare da dormire».

Stavano uscendo dalla città, ma lungo la strada si vedevano ancora dei baracchini che vendevano cibarie e gelati.

Il tenente aspettò che fossero sulla statale, fiancheggiata da alberi su entrambi i lati, e quando ritenne giunto il momento gli chiese:

«Ha capito?».

Steve sentì le parole, ma gli ci volle un po' di tempo per comprenderne il significato.

«Capito che cosa?» chiese a sua volta.

«Quello che è accaduto a sua moglie».

Si sforzò di concentrarsi, poi scuotendo la testa confessò:

«No».

E a voce più bassa aggiunse:

«Si direbbe che le faccio paura».

«L'ho raccolta io per strada, la notte scorsa» riprese il tenente abbassando il tono di voce. «È stata fortunata che delle persone di White Plain abbiano avuto un guasto alla macchina proprio vicino a dove giaceva lei. Hanno sentito i suoi lamenti. Io mi trovavo a poche miglia da lì quando la centrale mi ha avvisato via radio e sono arrivato prima dell'ambulanza».

Perché non parlava con naturalezza? Sembrava che raccontasse tutto questo solo per prendere tempo. C'era una nota falsa nella loro conversazione. Nemmeno Steve pensava a quello che diceva quando chiese:

«Soffriva molto?».

«Era svenuta. Ha perso parecchio sangue, per questo l'ha vista così pallida. Ha ricevuto le prime cure sul posto».

«Le hanno fatto un'iniezione?».

«Sì, credo che l'infermiere gliel'abbia fatta. Poi abbiamo dovuto trovare un ospedale con un letto libero, e ne abbiamo girati quattro prima di...».

«Lo so».

«Avrei preferito che la mettessero in una camera singola, ma non era possibile. Ha visto lei stesso. È spiacevole interrogarla davanti alle compagne di stanza».

«Certo».

Continuava a vedere gli occhi spaventati di Nancy e continuava a non fare quella domanda. L'auto correva veloce, mentre le altre macchine, scorgendo le insegne della polizia, rallentavano di colpo e formavano quasi una processione. Passarono davanti a una tavola calda e il tenente propose:

«Le va un caffè?».

Steve disse di no. Non aveva il coraggio di scendere.

«Di caffè ne abbiamo anche in centrale. Vede, Hogan, sua moglie era così spaventata nel vederla solo perché si ritiene responsabile di quanto è accaduto».

«Ma sa benissimo che sono stato io a portare via le chiavi».

«Sì, ma lei se n'è comunque andata da sola, di notte, sull'autostrada».

Steve non sapeva perché il tenente lo aveva portato con sé. Non se lo era chiesto. Fu solo sorpreso che un uomo come Murray gli posasse una mano sul ginocchio e, evitando di guardarlo negli occhi, dicesse con un tono di voce ancora più neutro:

«L'uomo che ha aggredito sua moglie non voleva solo derubarla».

Steve si voltò verso di lui e lo guardò intensamente, con la fronte corrugata. La sua voce sembrò provenire da molto lontano.

«Vuole dire che...».

«È stata violentata. Il medico ce lo ha confermato stamattina alle dieci».

Rimase immobile, ammutolito, come paralizzato. Aveva davanti agli occhi l'immagine straziante di Nancy. Importava poco, adesso, ciò che diceva il tenente. Ma aveva ragione a parlare, non bisognava lasciarsi sopraffare dal silenzio.

«Si è difesa con tutte le sue forze, come provano lo stato dei vestiti e le ecchimosi sul corpo. Allora l'uomo l'ha colpita alla testa con un oggetto pesante, un tubo di piombo, una chiave inglese o il calcio di una pistola, e lei ha perso conoscenza».

Raggiunsero una strada statale che Steve aveva già visto in un passato recente o lontano, percorsero ancora poche miglia e finalmente l'auto si fermò davanti all'edificio di mattoni della polizia di Stato.

«Ho pensato che sarebbe stato più facile parlarne per strada. Andiamo nel mio ufficio, ora».

Steve non riusciva più a parlare; camminando come un sonnambulo, attraversò una stanza piena di uomini in uniforme e oltrepassò la porta che gli indicarono.

«Permette un momento?».

Il tenente lo lasciò solo, forse perché doveva comunicare degli ordini, o forse per discrezione. Steve tuttavia non piangeva, se era questo che si aspettavano; rimase invece in piedi, immobile, e aprì la bocca solo per dire:

«Nancy!».

Ma non ne uscì alcun suono. Nancy aveva avuto paura di lui quando le si era avvicinato. Era lei che si vergognava, che avrebbe voluto chiedergli perdono!

Si aprì la porta ed entrò il tenente, con in mano due bicchieri di carta colmi di caffè.

«È già zuccherato. Lo prende con lo zucchero, vero?».

Bevvero insieme.

«Se tutto va bene fra un'ora o due lo prenderemo».

Uscì di nuovo, questa volta lasciando la porta aperta, e tornò quasi subito con una carta di un genere che Steve non aveva mai visto. La stese sulla scrivania. Vi erano evidenziati in rosso alcuni incroci, alcuni punti strategici nel Maine e nel New Hampshire, non lontano dalla frontiera canadese.

«A circa un miglio dal luogo dove è stato costretto ad abbandonare la sua auto lasciando lei per strada, si è fatto dare un passaggio da un camionista fino a Exeter. Da lì...».

All'improvviso Steve ritrovò la voce e chiese seccamente:

«Che cosa sta dicendo?».

Quasi gridava, minaccioso, come se sfidasse il tenente a ripetere quel che aveva appena detto.

«Dico che a Exeter ha trovato...».

«Ma di chi sta parlando?».

«Di Halligan. Attualmente si trova in un'area compresa...».

Il tenente allungò una mano per indicare la zona sulla carta, ma con un gesto brusco Steve glielo impedì.

«Non le ho chiesto dov'è. Voglio sapere se è stato lui a...».

«Credevo lo avesse capito da un pezzo».

«Ne è sicuro?».

«Sì. Da stamattina, quando ho mostrato la fotografia al barista di Armando's. Lo ha riconosciuto con assoluta certezza. Halligan ha lasciato il locale più o meno quando lei era lì».

Con i pugni stretti e le mascelle serrate, Steve continuava a fissare il tenente come in attesa di prove.

«Abbiamo ritrovato le tracce di Halligan alla log cabin dove avete bevuto insieme: ci hanno fornito una descrizione di lei e anche della sua macchina, signor Hogan».

«Halligan!» ripeté Steve.

«Poco fa, all'ospedale, mentre lei aspettava in corridoio e io andavo dal mio ferito, ho pregato il dottore di mostrare a sua moglie la foto segnaletica di Halligan. E anche lei lo ha riconosciuto».

Dopo un istante il tenente aggiunse:

«Capisce, ora?».

Capire cosa? C'erano troppe cose da capire per un solo uomo.

«Stamattina alle nove un garagista di una piccola località del New Hampshire ha telefonato alla polizia comunicando il suo numero di targa, lo stesso che ci aveva già segnalato il proprietario della log cabin».

Avevano seguito anche le sue tracce, segnando in rosso sulla carta i suoi spostamenti, come ora stavano facendo con Sid Halligan?

«Vuole radersi?» chiese il tenente aprendo la porta di un bagno. «Una cosa è certa: per l'evasione Halligan rischiava al massimo dai cinque ai dieci anni di galera in più. Adesso lo manderanno sulla sedia elettrica!».

Steve sbatté la porta e, piegato in due, cominciò a vomitare. Dalla tazza saliva un acre odore di alcol. La gola gli bruciava. Si teneva lo stomaco con entrambe le mani, aveva gli occhi appannati, il corpo scosso dai singulti.

Al di là della porta sentì il tenente parlare al telefono, poi i passi di due o tre persone e un brusio, come se nell'ufficio fosse in corso una specie di riunione.

Trascorse parecchio prima che riuscisse a sciacquarsi il viso con l'acqua fresca, insaponarsi e radersi, guardandosi allo specchio con la stessa durezza con cui aveva guardato il poliziotto. Dentro di lui si accumulava una terribile collera simile a un tempo-

135

rale che si prepari a scoppiare, vicinissimo, un odio disperato che si traduceva nella parola «uccidere»: uccidere non con un'arma, ma con le mani, lentamente, ferocemente, con piena consapevolezza, senza perdersi un solo sguardo di terrore, un solo sussulto di agonia.

Il tenente aveva detto:

«Adesso lo manderanno sulla sedia elettrica!».

Questo gli ricordava un'altra voce che, la notte prima, aveva parlato di quella sedia; era la voce di Halligan che diceva:

«Non ho nessuna voglia di beccarmi la sedia elettrica!».

No, non era andata così. Gli tornò in mente la scena. Steve gli aveva chiesto se aveva sparato. Glielo aveva domandato con un tono di voce tranquillo, senza indignazione, con appena un'ombra di curiosità. E Sid aveva risposto con noncuranza:

«Se avessi sparato, mi avrebbero spedito sulla sedia elettrica».

Non era stato proprio in quel momento che Steve aveva pensato ai due ragazzi della rapina in Madison Avenue, che per una decina d'anni non avrebbero più visto una donna?

Halligan veniva da quattro anni di prigione. Non aveva voluto fare del male alla bambina che aveva rinchiuso nel ripostiglio con una tavoletta di cioccolato per impedirle di gridare. Aveva legato e imbavagliato la madre per poter frugare in pace fra i cassetti alla ricerca dei risparmi della famiglia. Non aveva ancora la pistola. Gli servivano anche i vestiti del marito, per indossarli al posto della divisa da carcerato. Poi aveva rubato una rivoltella dalla vetrina di un negozio. E allora...

A torso nudo, con i capelli umidi, aprì la porta.

«Ho lasciato le camicie in macchina».

«Sono lì!» disse il tenente indicando il pacchetto sulla scrivania.

E lanciò un'occhiata a Steve, per rendersi conto del suo stato.

«Può mettersela qui la camicia. Non c'è niente che non possa sentire».

Un sergente lo mise al corrente della telefonata che aveva appena ricevuto.

«Hanno ritrovato l'auto rubata a Exeter, sulla 302, fra Woodville e Littleton. Aveva il serbatoio vuoto. Forse credeva che la benzina gli bastasse e sperava di raggiungere la frontiera canadese, oppure non si è azzardato a farsi vedere in una stazione di servizio».

I due poliziotti si chinarono sulla carta.

«La polizia del New Hampshire ci tiene informati. L'FBI è già entrato in azione. Ci sono posti di blocco in tutta la regione. I boschi rendono difficili le ricerche perciò hanno chiesto l'intervento delle unità cinofile, che arriveranno da un momento all'altro».

«Ha sentito, Hogan?».

«Sì».

«Spero che lo prendano prima di notte, per non dargli il tempo di fare brutti scherzi in qualche fattoria isolata. Al punto in cui stanno le cose, non esiterà più a uccidere. Sa che si gioca il tutto per tutto. Grazie, puoi andare!».

Il sergente uscì.

Il tenente restò seduto davanti alla carta. Si era tolto la giacca dell'uniforme e, con le maniche della camicia rimboccate fin sopra i gomiti, fumava una pipa che probabilmente usava soltanto in ufficio e a casa.

«Si sieda. Oggi la situazione è un po' più tranquilla. La maggior parte della gente è arrivata dove era diretta. Domani ci sarà solo un po' di traffico locale, qualche annegamento, qualche rissa in una sala da ballo. I problemi ricominceranno lunedì, quando tutti torneranno di corsa verso New York e le grandi città».

Quarantacinque milioni di...

Steve respinse con orrore quelle parole, che gli ricordavano il movimento dell'auto, il rumore delle ruote sull'asfalto, i fari, le miglia percorse nell'oscurità di una specie di *no man's land* e le insegne al neon che spuntavano all'improvviso.

«L'ha minacciata con la pistola?».

Steve guardò negli occhi l'uomo che, abbandonato sulla sedia, tirava piccole boccate di fumo dalla pipa.

«Quando sono entrato in macchina, ci ho trovato dentro lui che mi puntava contro la rivoltella» rispose scegliendo le parole.

Poi, scandendo le sillabe, aggiunse come per sfida:

«Non era necessario».

Il tenente non trasalì. Non parve sorpreso e gli rivolse un'altra domanda.

«Alla log cabin, che tra parentesi si chiama Blue Moon, lo aveva già riconosciuto?».

Steve fece di no con la testa.

«Si capiva che era un vagabondo, e ho avuto il sospetto che si stesse nascondendo. Mi incuriosiva».

«Ha guidato sempre lei?».

«A un certo punto ci siamo fermati in una stazione di servizio per fare rifornimento e io sono riuscito a farmi dare dal benzinaio una fiaschetta di whisky. Penso di essermela scolata in pochi minuti».

Aggiunse un dettaglio che non gli era stato chiesto:

«Halligan si era addormentato».

«Ah!».

«Poi abbiamo forato e la ruota ha dovuto cambiarla Halligan, perché io non ero più in grado di fare niente. Me ne sono rimasto disteso sul ciglio della strada. Poi non so più nulla. Avrebbe potuto abbandonarmi o ficcarmi una pallottola in testa per impedirmi di denunciarlo».

«Gli aveva detto che sapeva chi era?».

«Sì, mentre ci allontanavamo dal Blue Moon».

«Come si sente?».

«Ho vomitato tutto quello che avevo nello stomaco. Che cosa mi succederà adesso?».

«La faccio riaccompagnare a Hayward. Sono le cinque. Alle sette il medico visiterà di nuovo sua moglie e le dirà se stasera può vederla. Immagino che vorrà restare a dormire in paese...».

Non ci aveva pensato. Non aveva riflettuto sulla questione. Era la prima volta che si ritrovava senza un letto in cui dormire, con una casa vuota a Long Island, i figli che lo aspettavano in un campeggio e la moglie in una stanza d'ospedale con altre cinque malate.

«Cercare negli alberghi e nelle pensioni sarebbe solo una perdita di tempo. Sono tutti strapieni. Ma ci sono dei privati che, d'estate, affittano stanze. Forse ha qualche possibilità».

Il tenente non aveva insistito sui suoi rapporti con Halligan. Non vi faceva più cenno, con grande disappunto di Steve, che invece avrebbe voluto parlarne, confessare tutto quello che gli era passato per la testa durante la notte, convinto che gli avrebbe fatto bene, e se ne sarebbe sentito sollevato.

Ma, come se avesse intuito le sue intenzioni e per qualche motivo volesse evitare quella confessione, il tenente si alzò per congedarlo.

«Sarà meglio che vada se non vuole dormire sulla spiaggia. Mi telefoni quando avrà trovato una sistemazione. Le darò notizie».

Quando era già sulla soglia lo richiamò:

«L'altra camicia!».

Steve, che aveva dimenticato di averne comprate due, prese il pacchetto.

«Quella sporca l'ho buttata nel cestino» disse.

Nella stanza principale lo stesso sergente di prima, con le cuffie della radio in testa, annunciò al suo superiore:

«Sono arrivati i cani. Dopo aver annusato il sedile della macchina abbandonata si sono lanciati su una pista».

Steve non se la sentiva di aspettare, ma non osava porgere la mano.

«Tenente, la ringrazio per il modo in cui mi ha trattato. E per tutto il resto».

Gli indicarono un'auto. Steve prese posto accanto all'agente in uniforme che era al volante.

«Portalo a Hayward. Ha lasciato la macchina nel cortile dell'ospedale».

A poco a poco il rollio dell'auto gli fece chiudere gli occhi. Sulle prime cercò di opporre resistenza, poi la testa gli cadde sul petto e cominciò a sonnecchiare, senza perdere completamente coscienza di dove si trovava. Perse solo la nozione del tempo: gli avvenimenti gli tornavano in mente in modo caotico, in un continuo sovrapporsi di immagini.

Nella sua memoria Halligan non era più l'uomo dal viso magro e nervoso, ma il tizio biondo del primo bar: immaginava Nancy bere con lui al banco in un locale che non era quello in cui si era fermato, lungo la strada, ma il bar di Louis, nella Quarantacinquesima.

Steve protestava, agitandosi:

«No, non è lui! È un impostore!».

Il vero Halligan era bruno, aveva l'aria malaticcia e il pallore di chi ha appena passato quattro anni in prigione. Guidava l'auto con un misterioso sorriso sulle labbra quando Steve all'improvviso urlò:

«Ma è mia moglie! Non mi aveva detto che era mia moglie!».

Gridando le parole «mia moglie» sempre più forte, stringeva il collo dell'uomo con entrambe le mani quando scoppiò una gomma e l'auto andò a fermarsi fra i pini.

«Ehi, Mister...».

Il poliziotto gli dava dei colpetti sulla spalla, sorridendo.

«Siamo arrivati».

«Mi scusi, credo di essermi addormentato. Grazie».

Dal cortile dell'ospedale era sparita la maggior parte delle auto, e la sua spiccava in un grande spazio vuoto. Non gli serviva. Dove mai poteva andare, in macchina? Alzò gli occhi verso le finestre, ma non fu in grado di individuare quella di Nancy. Era inutile restarsene lì a guardare per aria. Doveva fare quello che gli avevano detto.

Il tenente gli aveva raccomandato di cercarsi prima di tutto una stanza. Lì vicino c'erano alcune case, la maggior parte di legno, dipinte di bianco e con una veranda lungo tutto il perimetro; gli abitanti, perlopiù anziani, prendevano il fresco dondolandosi su una *rocking chair*.

«Scusi se la disturbo, signora. Sa dirmi dove posso trovare una camera?».

«Lei è il terzo in mezz'ora a farmi questa domanda. Provi a chiedere alla casa all'angolo. Sono al completo, ma magari sanno darle qualche indicazione».

Poco lontano, in fondo a una strada, si vedeva il mare. Dalla parte opposta il sole non era ancora sparito completamente dietro le case e gli alberi, ma la superficie dell'acqua era già di un verde freddo.

«Scusi, signora, per caso...».

«Cerca una stanza?».

«Mia moglie è ricoverata all'ospedale e...».

Lo indirizzarono in un altro posto, e da lì in un altro ancora, in strade che si allontanavano sempre più dal centro. Anche qui i proprietari erano sulla soglia.

141

«Per una persona sola?».

«Sì, mia moglie è all'ospedale...».

«Avete avuto un incidente?».

Pareva strano che fosse senza auto.

«Ho lasciato la macchina nel parcheggio dell'ospedale. Appena avrò trovato una sistemazione andrò a prenderla».

«Tutto quello che possiamo offrirle è un lettino da campeggio sulla veranda, dietro la casa. C'è la zanzariera, ma l'avverto che di notte fa freschetto. Le darò due coperte».

«Andrà benissimo».

«Devo chiederle quattro dollari».

Pagò in anticipo. Subito dopo avergli dato quei soldi, il garagista con il sigaro aveva pensato bene di avvisare la polizia. Ma mentre si precipitava verso Hayward, Steve non si era certo immaginato che la polizia sapesse esattamente dove si trovava.

Anziché contrariarlo, quel pensiero lo rassicurava. Era tranquillizzante constatare che il mondo era bene organizzato e la società solida.

Certo non poteva impedire tutto. Nemmeno Nancy del resto era riuscita a non farlo bere, la notte precedente. Ci aveva provato con tutte le sue forze e alla fine era stata lei a pagare.

«A che ora pensa di rientrare?».

«Non lo so. Devo andare all'ospedale a far visita a mia moglie. Tornerò presto».

«Guardi che alle dieci io vado a dormire e poi non apro più a nessuno. Compili il modulo».

Scrivere il suo nome gli ricordò il trafiletto sul giornale. Avrebbero parlato dell'aggressione anche sul giornale della sera, era inevitabile. La radio doveva aver già reso noto che la vittima era stata identificata. Aveva letto spesso quel genere di notizie, senza dare molta importanza alla frase «è stata violentata».

Lo avrebbero saputo tutti. Il signor Schwartz, la

142

centralinista che gli diceva con segreta soddisfazione che sua moglie era in riunione, Louis e i suoi clienti delle cinque. A quel punto, al suo sconforto, talmente visibile che la padrona di casa lo guardava con una certa diffidenza, si unì una pietà di un genere particolare. Pensava a Nancy non come alla propria moglie, ma come a una persona che camminando per strada, nella vita di tutti i giorni, avrebbe avuto addosso gli occhi e i mormorii desolati della gente:

«È la donna che hanno violentato?».

Da questo nascevano nuovi problemi. Li aveva già considerati Nancy, sola nel suo letto? Se la conosceva bene, Steve sapeva che non avrebbe mai accettato di rivedere le persone che conosceva e di riprendere la vita di prima.

«Se deve andare all'ospedale le consiglio una scorciatoia: giri subito a destra e cammini finché trova un ristorante con la facciata azzurra. Da là si vede l'ospedale».

Sarebbe stato meraviglioso vivere tutti e quattro, con i bambini, senza vedere più nessuno, nemmeno Dick e sua moglie, che del resto aveva sempre un sorriso falso ed era gelosa di Nancy. Lei sarebbe rimasta a casa, e Steve avrebbe continuato a lavorare, perché doveva guadagnarsi da vivere, ma dopo l'ufficio sarebbe rientrato subito, senza fermarsi da Louis, senza bisogno di un martini. Nessuno avrebbe fatto domande, nessuno si sarebbe permesso commenti.

Dal centro della città gli arrivavano, attutiti, musiche e rumori; in molte case era accesa la radio, in altre si scorgevano nella penombra delle sagome immobili davanti allo schermo lattiginoso di un televisore.

Arrivò al ristorante con la facciata azzurra e vi entrò. Non aveva intenzione di bere, ma soltanto di mangiare qualcosa, perché sentiva dei crampi allo stomaco. Il bar non c'era neanche, perché in quel locale non servivano bevande alcoliche, ma in ogni modo non ne avrebbe avuto voglia. Poco prima si era ripromesso, se gli avessero consentito di vedere Nancy e lei non fosse stata troppo prostrata, di giurarle che non avrebbe mai più toccato un bicchiere di alcol in vita sua. Era assolutamente deciso a mantenere la promessa, e non soltanto per lei, ma anche per se stesso.

Una ragazza che puzzava di sudore pulì il tavolo davanti a Steve con uno straccio sporco, poi gli diede il menu e aspettò l'ordinazione con la matita in mano.

«Mi dia una cosa qualunque. Un panino».

«Non vuole un'insalata di astice? È il piatto del giorno».

«Farò prima?».

«È già pronta. Caffè?».

«Sì, grazie».

Su un tavolo c'era un giornale del pomeriggio, ma Steve preferì non aprirlo. L'orologio a muro segnava le sei e dieci. Il giorno prima, a quell'ora, lui e Nancy erano ancora a casa. Per fare più in fretta i panini li avevano mangiati senza neanche sedersi. Aveva ancora nelle orecchie il ronzio del frigorifero quando la moglie lo aveva aperto per prendere una Coca-Cola.

«Ne vuoi una anche tu?».

Non poteva confessarle che si era appena bevuto un rye. Era cominciato tutto da lì. Nancy indossava il tailleur estivo verde che aveva comprato nella Quinta Avenue, senza immaginare che l'indomani mattina ne avrebbero parlato tutti i giornali di Boston.

«Ci vuoi del ketchup?».

Aveva fretta di tornare all'ospedale. Anche se non l'avessero lasciato salire subito, si sarebbe sentito più vicino a lei. Inoltre, all'ospedale, non avrebbe avuto la tentazione di pensare. Per quel giorno voleva smettere di pensare. Era così spossato che gli faceva male tutto il corpo, fin dentro alle ossa. Gli era capitato spesso di passare la notte a bere, e di stare male il giorno dopo, ma quasi sempre si era tirato su con l'alcol. Probabilmente, se ci avesse provato, avrebbe funzionato. Quella mattina stessa lo scotch gli aveva permesso di resistere e di guidare fin là, dandogli persino il sangue freddo sufficiente per telefonare dappertutto e ritrovare Nancy.

Gli dispiaceva che non ci fosse la cameriera della caffetteria a fargli coraggio. Qui ognuno aveva il suo bel da fare, si sentiva un frastuono di piatti, le ragazze correvano avanti e indietro senza riuscire a soddisfare tutti i clienti, e c'era sempre uno a cui piaceva il chiasso e che infilava monetine da cinque centesimi nel juke-box.

«Un dolce? Abbiamo torta di mele e torta al limone».

Preferì pagare e andarsene. Le finestre dell'ospedale erano tutte illuminate, e se il letto di Nancy non fosse stato vicino alla porta avrebbe potuto vederlo da fuori. A qualche finestra le tende non erano ancora state accostate. Qua e là si scorgeva la cuffia bianca di un'infermiera o la sagoma di un malato chino su una rivista.

Passando davanti alla sua macchina Steve distolse lo sguardo, infastidito da tutto ciò che gli ricordava, e si ripromise di cambiarla, anche con una più vecchia, se ne avesse avuto l'occasione.

Aveva dimenticato di telefonare al tenente, che gli aveva raccomandato di tenerlo informato. Gli venne in mente che nell'atrio dell'ospedale c'era una cabina. Doveva chiamare anche i Keane, appena avesse avuto notizie. Non bisognava dimenticare i bambini. Ma prima doveva farsi un'idea precisa di quello che avrebbero fatto.

«Sa se posso vedere mia moglie?».

La ragazza lo riconobbe e collegò uno spinotto nel quadro del centralino.

«C'è il marito della signora della 22. Ha capito chi è? Sì? Come? Il dottore non verrà prima delle sette? Ora glielo dico».

Ripeté:

«Non prima delle sette».

«Posso usare il telefono?».

«È una cabina pubblica».

Chiamò la stazione di polizia.

«Sono Steve Hogan. Vorrei parlare con il tenente Murray».

«È andato a cena, ma io sono al corrente di tutto, signor Hogan. Ero all'ospedale con il tenente».

«Mi ha detto di chiamarlo per comunicare il mio recapito di qui».

«Ha trovato una stanza?».

Lesse l'indirizzo che la padrona di casa gli aveva scritto su un pezzo di carta.

«Ci sono novità?».

«Sì, da mezz'ora».

La voce era allegra.

«È tutto finito. In un primo momento i cani hanno seguito una falsa pista, e per questo si è persa un'ora buona. Allora li hanno riportati alla macchina e stavolta non si sono sbagliati».

«Ha opposto resistenza?».

«Quando ha visto che era circondato ha buttato la pistola e ha alzato le braccia. Era terrorizzato e supplicava che non gli facessero del male. Lo ha preso in consegna l'FBI. Passeranno di qui domattina, sulla strada per Sing Sing».

«La ringrazio».

«Buonanotte. Può riferire la notizia a sua moglie, farà piacere anche a lei».

Uscì dalla cabina e andò a sedersi nell'atrio, dove non c'era nessun altro. Vedeva dietro il vetro dello sportello la fronte della centralinista, che scriveva a macchina e di tanto in tanto gli lanciava un'occhiata curiosa.

Non riconobbe subito il dottore, che arrivava da fuori e che Steve non aveva mai visto senza il camice. Il dottore invece lo riconobbe. Sulle prime sembrò voler passare oltre, ma poi tornò sui propri passi, con aria preoccupata.

Steve si alzò.

«Stia comodo».

Il dottore si sedette accanto a Steve, appoggiando i gomiti sulle ginocchia come per una tranquilla conversazione fra uomini.

«Il tenente le ha detto?».

Fece segno di sì.

«Immagino si renda conto che per sua moglie è molto più tragico che per lei. Stasera non l'ho ancora visitata. Ha una brutta ferita alla testa, ma guarirà presto. A proposito, è meglio che glielo dica, così eviterà di avere reazioni che potrebbero ferirla: siamo stati costretti a raderle completamente i capelli».

«Capisco, dottore».

«Non possiamo tenerla qui a lungo; oggi abbiamo respinto casi urgenti tutto il giorno. Conoscete un buon medico? Dove abitate?».

«A Long Island».

«Avete un ospedale vicino?».

«A tre miglia».

«Ora vedrò qual è esattamente il suo stato e le dirò se può affrontare il viaggio senza rischi. Ma nel suo caso l'aspetto più importante è il morale. E questo riguarda lei, signor Hogan. Aspetti! Non dubito affatto che sia pronto a circondarla di tutte le cure immaginabili. Purtroppo non è il primo caso del genere con cui ho a che fare. Il contraccolpo è sempre violento. Passerà molto tempo prima che sua moglie torni a considerarsi e a reagire come una persona normale, soprattutto dopo il baccano che faranno intorno a questa storia e che nessuno può impedire. E se prenderanno l'aggressore ci sarà un processo».

«Lo hanno già arrestato».

«Lei dovrà essere paziente, attento, e forse, se dopo un po' non ci fossero progressi, dovrà chiedere l'aiuto di uno specialista».

Il dottore si alzò.

«Può salire con me e aspettare in corridoio. Salvo imprevisti ne avrò per pochi minuti. Avete dei figli, mi ha detto sua moglie».

«Due. Stavamo andando nel Maine per riportarli a casa dal campeggio».

«Dopo parleremo anche di loro».

Salirono insieme. Il dottore scambiò qualche parola con l'infermiera, che non era più la stessa di prima.

«Se vuole può sedersi...».

«No, grazie».

Preferiva restare in piedi. I corridoi erano deserti, immersi in una calda luce giallastra. Il dottore era entrato nella stanza di Nancy.

«Ha dormito?».

«Non lo so. Ho preso servizio alle sei».

L'infermiera consultò una scheda.

«Le posso dire che ha mangiato brodo, carne e verdura».

Quelle parole avevano un suono rassicurante.

«Lei l'ha vista?».

«La notte scorsa, quando è arrivata».

Steve non insistette. C'erano dettagli che preferiva ignorare. Dalla prima porta giungeva il monotono mormorio di una conversazione fra due donne.

Si affacciò il dottore:

«Può venire un attimo, signorina?».

Disse qualcosa all'infermiera, che sparì nella stanza. Poi si avvicinò a Steve.

«Ora la vedrà. L'infermiera la chiamerà quando sarà pronta. A meno di complicazioni, che ritengo improbabili, non c'è ragione per cui non possa essere dimessa martedì. Il week-end sarà finito e le strade saranno più scorrevoli».

«Ci vorrà un'ambulanza?».

«Non sarà necessario, purché abbiate una buona auto e lei guidi senza troppi scossoni. Prima che partiate la visiterò. Glielo dico fin da ora in modo che lei possa organizzarsi. Quanto ai bambini, se a casa avete qualcuno che se ne possa occupare...».

«Abbiamo una baby-sitter che viene per mezza giornata. Posso chiederle di restare di più...».

«Il fatto che la vita sia fin da subito il più normale possibile aiuterà la guarigione di sua moglie. Non si trattenga più di venti minuti, mezz'ora al massimo, e cerchi di non farla parlare troppo».

«Glielo prometto, dottore».

L'infermiera uscì dalla stanza, ma non era ancora il momento. Le serviva un oggetto – Steve non riuscì a distinguere di cosa si trattasse – dalla borsetta che si trovava in un armadietto, dopo di che tornò dentro.

Trascorse una decina di minuti buoni e finalmente l'infermiera gli fece segno di entrare.

«La aspetta» gli disse facendogli strada.

Attorno al letto, per separarlo dal resto della camera, avevano messo un paravento; vicino al capezzale c'era una sedia. Nancy aveva gli occhi chiusi, ma non dormiva, e Steve vide dei fremiti percorrerle i tratti del viso. Notò pure che le sue labbra erano più colorite e scorse tracce di cipria vicino alla fasciatura che le avvolgeva la testa all'altezza delle orecchie.

Senza dire una parola si sedette e tese la mano verso quella di Nancy, abbandonata sul lenzuolo.

8

Senza aprire gli occhi, Nancy sussurrò:
«Non dire niente...».
Poi tacque anche lei, immobile; solo la mano si
muoveva appena, cercando di farsi una nicchia in
quella di Steve. Erano immersi in un'oasi di pace e
di silenzio, rotta solo dal respiro sibilante di una malata che aveva la febbre alta.
Steve evitava qualsiasi movimento. Dopo un po'
fu Nancy a parlare, sempre con un tono di voce bas-
sissimo:
«Prima di tutto voglio che tu sappia che la cipria
e il rossetto non li ho chiesti io. È stata l'infermiera
a insistere, per paura che tu ti spaventassi».
Steve aprì la bocca ma non disse nulla, anzi chiuse a sua volta gli occhi, perché così, senza vedersi,
con il solo contatto delle loro dita intrecciate, erano
ancora più vicini l'uno all'altro.
«Non sei troppo stanco?».
«No... Vedi, Nancy...».
«Sst! Non muoverti. Sento il sangue che ti pulsa
nelle vene».

Stavolta Nancy rimase in silenzio così a lungo che Steve credette si fosse addormentata. E invece riprese a parlare:

«Adesso sono vecchissima. Già avevo due anni più di te. Ma dopo stanotte sono una vecchia. No, non protestare, lasciami parlare. Oggi pomeriggio ho riflettuto molto. Mi hanno fatto un'altra iniezione, ma sono riuscita a non dormire, così ho potuto pensare».

Non si era mai sentito così vicino a lei. Era come se un cerchio di luce e di calore li avvolgesse, mettendoli al riparo dal resto del mondo. E stando così, polso contro polso, i battiti dei loro cuori avevano lo stesso ritmo.

«In poche ore sono invecchiata di almeno dieci anni. Abbi pazienza. Devi lasciarmi finire».

Ascoltarla era bello e straziante allo stesso tempo. Parlava in un soffio perché fosse tutto più segreto, più esclusivamente loro, con voce priva di intonazione e facendo lunghe pause tra una frase e l'altra.

«Bisogna che tu lo sappia, Steve, se non ci hai ancora pensato per conto tuo, che tutta la nostra vita cambierà e ormai niente potrà essere come prima. Io non sarò mai più una donna come le altre, non sarò mai più la tua donna».

Steve stava cominciando a protestare, ma lei glielo impedì subito:

«Sst!... Voglio che tu ascolti e capisca. Certe cose non saranno più possibili, perché ogni volta il ricordo di quello che è successo...».

«Taci».

Steve aveva aperto gli occhi e guardava le palpebre di Nancy ancora abbassate, il labbro inferiore che le tremava e sporgeva un po', come quando stava per piangere.

«No, Steve! Nemmeno per te sarà più lo stesso! So quello che dico. E lo sai benissimo anche tu, anche se cerchi di farti delle illusioni. Per me è finita. C'è un aspetto della vita che non conoscerò più».

Nancy aveva un nodo alla gola e continuava a deglutire. Per un attimo, il tempo di un battito di ciglia, a Steve parve di vedere il bagliore delle pupille.

«Non ti chiederò di restare con me. Potrai ancora avere una vita normale. Faremo del nostro meglio perché tutto avvenga senza difficoltà».

«Nancy!».

«Zitto!... Lasciami finire, Steve. Un giorno o l'altro ti renderesti conto anche tu delle cose che ti sto dicendo stasera e allora sarebbe molto più doloroso per tutti e due. Per questo ho voluto che tu lo sapessi subito. Ti aspettavo».

Senza accorgersene, Steve le stava stritolando la mano. Nancy gemette:

«Mi fai male».

«Scusa».

«È stupido, vero? Capiamo solo quando è troppo tardi. Quando siamo felici non ci facciamo caso, commettiamo delle imprudenze, a volte addirittura ci ribelliamo. Noi quattro siamo stati felici».

Tutt'a un tratto Steve dimenticò le raccomandazioni del medico. Smise di riflettere, di pensare alla ferita di Nancy e alla stanza d'ospedale in cui si trovavano. Un'ondata di calore gli riempì il petto e nella sua mente si affollarono parole che aveva bisogno di dirle, parole che non le aveva mai detto e forse non aveva mai nemmeno pensato.

«Non è vero!» protestò subito, appena Nancy aveva parlato della loro felicità passata.

«Steve!».

«Credo di aver riflettuto anch'io, senza rendermene conto. Quello che hai appena detto è falso. Ieri non eravamo felici».

«Sta' zitto!».

Steve parlava con voce smorzata, come sua moglie, ma questo rendeva ancora più eloquente la veemenza del tono.

Non era così che si era figurato il loro incontro e non immaginava che un giorno le avrebbe detto quello che stava per dirle. Si sentiva in uno stato di sincerità totale, quasi fosse nudo, vulnerabile come se gli avessero strappato la pelle.

«Non guardarmi. Tieni gli occhi chiusi, ascolta soltanto. La prova che non eravamo felici è che, appena si usciva dalla routine quotidiana, dal cerchio delle nostre piccole abitudini, io ero così disorientato da avere un irresistibile bisogno di bere. Tu invece, per convincerti di avere una vita interessante, ogni giorno dovevi chiuderti in un ufficio di Madison Avenue. Quante volte, a casa, siamo rimasti l'uno di fronte all'altro senza aver bisogno, anche dopo pochi minuti, di sfogliare una rivista o di accendere la radio?».

Le estremità delle palpebre di Nancy erano umide, le sue labbra tremavano sempre di più. Per un attimo Steve era stato sul punto di lasciarle la mano, ma lei vi si era avvinghiata freneticamente.

«Sai quando ho cominciato a tradirti, ieri? Tu eri a casa. Dovevamo ancora partire. Ti ho detto che andavo a fare il pieno».

Nancy mormorò:

«Prima avevi parlato di sigarette».

Il suo viso si era un po' rischiarato.

«Invece volevo bere un rye. E ho continuato a bere rye per tutta la notte. Volevo sentirmi forte, libero da intralci».

«Mi detestavi».

«Anche tu».

Nancy accennò un sorriso quasi impercettibile.

«Sì».

«Sono andato avanti così, da solo, finché mi sono svegliato stamattina sul ciglio di una strada, dove non ricordavo neanche di essermi fermato».

«Hai avuto un incidente?».

Per la prima volta da quando si conoscevano Steve aveva l'impressione che non ci fossero più inganni fra loro; niente, nemmeno un velo sottile, impediva loro di essere se stessi, l'uno di fronte all'altro.

«Non un incidente. Ora tocca a me dirti qualcosa che devi sapere, ed è meglio che tu lo sappia subito. Ho incontrato un uomo che per qualche ora ho voluto vedere come un altro me stesso, un me stesso audace e temerario a cui mi dispiaceva di non assomigliare. Gli ho raccontato tutto quello che avevo dentro, tutto il malanimo che fermentava in me. Gli ho parlato di te, forse dei bambini, e magari gli ho anche detto che non li amavo. Eppure sapevo chi era e da dove veniva quell'uomo».

Steve aveva di nuovo chiuso gli occhi.

«Ero completamente sbronzo, mi accanivo a infangare ogni cosa, e la persona a cui mi sono confidato in quel modo era...».

A malapena la sentì ripetere:

«Sta' zitto».

Steve aveva finito. Piangeva in silenzio, ma non erano lacrime amare quelle che spuntavano dagli occhi chiusi. La mano di Nancy restava inerte nella sua.

«Capisci adesso...».

Dovette aspettare che si sciogliesse il nodo che aveva in gola.

«Capisci che soltanto oggi cominciamo a vivere?».

Aprendo gli occhi, vide con sua grande sorpresa che Nancy lo stava guardando, e si chiese se lo avesse sempre guardato, mentre parlava.

«Tutto qua! Come vedi, avevi ragione a dire che, da ieri, tutto è cambiato».

Gli parve di leggere negli occhi di Nancy un residuo di incredulità.

«Sarà un'altra vita. Non so come sarà, ma sono sicuro che la vivremo insieme».

Nancy tentava ancora di opporsi.

«È proprio vero?» chiese con un candore che Steve non le conosceva.

Dietro di lui passò l'infermiera. Andava ad assistere la donna con la febbre, che evidentemente aveva suonato il campanello per chiamarla. Per tutto il tempo in cui la ragazza restò nella stanza evitarono di parlare.

Ormai non aveva più importanza. Forse, una volta ricominciata la vita di tutti i giorni, Steve si sarebbe vergognato al ricordo di quello sfogo. Ma non era molto più imbarazzante svegliarsi certe mattine e ricordarsi i suoi discorsi da ubriaco?

Ora si guardavano senza più riserve, ed entrambi avvertivano che quell'istante probabilmente non sarebbe mai più tornato. Ciascuno dei due si sentiva irresistibilmente attratto dall'altro; lo si vedeva solo dagli occhi, che non smettevano di fissarsi ed esprimevano una sorta di pacato rapimento.

«Tutto fila liscio, voi due?» disse l'infermiera uscendo.

La trivialità di quelle parole non li ferì.

«Ancora cinque minuti, non di più» annunciò andandosene con in mano una bacinella coperta da una salvietta.

Di quei cinque minuti ne erano passati tre quando Nancy, con voce più ferma di prima, disse:

«Sei sicuro, Steve?».

«E tu?» replicò lui sorridendo.

«Forse possiamo provarci».

La cosa fondamentale non era quello che sarebbe accaduto poi, ma il fatto che quell'istante fosse esistito. Steve si sforzava già di non dissiparne il calore. Aveva fretta di andar via, perché tutto quello che potevano dirsi non avrebbe fatto altro che indebolire quell'emozione.

«Posso baciarti?».

Nancy fece segno di sì e Steve si alzò, si chinò su di lei, posò con cautela le labbra sulle sue, premendole dolcemente. Restarono così per alcuni secondi; quando Steve si alzò la mano di Nancy era ancora aggrappata alla sua, e lui dovette staccare le dita a una a una prima di precipitarsi verso la porta senza voltarsi.

Passò accanto all'infermiera senza vederla, e solo all'ultimo momento si rese conto che lo stava chiamando.

«Signor Hogan!».

Si fermò, vide che sorrideva.

«Scusi, mi spiace disturbarla così. Volevo soltanto dirle che d'ora in poi potrà venire unicamente durante l'orario di visita che è esposto al piano terra. Oggi abbiamo fatto un'eccezione, visto che era il primo giorno».

E poiché Steve aveva rivolto uno sguardo verso la stanza di Nancy, aggiunse:

«Non si preoccupi. Farò in modo che dorma. A proposito, il dottore mi ha dato queste per lei. Le prenda tutt'e due prima di andare a letto e si farà una buona nottata di sonno».

Steve si infilò in tasca il piccolo cartoccio bianco con le due compresse.

«La ringrazio».

La notte era luminosa e la ghiaia dei vialetti brillava sotto la luna. Senza pensarci salì in macchina e si diresse non verso il suo letto sulla veranda, ma in direzione del mare. Aveva bisogno di assaporare quello che si sentiva dentro, e su cui le luci, le musiche e i divertimenti della città non avevano alcun potere. Era come se tutto ciò che lo circondava fosse privo di consistenza, non fosse reale. Percorse una strada via via sempre meno illuminata, in fondo alla quale trovò uno sperone roccioso che il mare lambiva con uno sciabordio appena percepibile.

Dal largo soffiava un'aria più fresca, con un odore forte di cui si riempì i polmoni. Non richiuse la portiera, avanzò fino all'estremità della roccia e si fermò solo quando la spuma delle onde gli bagnò la punta delle scarpe. Furtivamente, come se si vergognasse, rifece lo stesso gesto che aveva fatto da bambino la prima volta che lo avevano portato a vedere l'oceano: si sporse in avanti, immerse una mano nell'acqua e ve la lasciò a lungo, per assaporarne la vivida freschezza.

Non si fermò oltre. Andò subito alla ricerca della facciata azzurra del ristorante, che gli serviva da punto di riferimento, e ripercorse la strada che aveva fatto a piedi finché ritrovò la casa dove alloggiava.

I proprietari se ne stavano seduti nell'oscurità della veranda. Li scorse solo quando cominciò a salire i gradini.

«È tornato presto, signor Hogan. Certo, non deve aver voglia di andare a divertirsi. Non ha bagagli? Aspetti, le accendo la luce».

Una lampada molto forte illuminò improvvisamente la carta da parati a fiori dell'ingresso.

«Non la lascerò dormire vestito, dopo quello che ha passato».

Ora sapeva tutto e gli parlava come a uno che ha avuto una disgrazia.

«Come sta sua moglie, poveretta?».

«Meglio».

«Deve essere stato uno shock! Gli uomini di quella risma dovrebbero ammazzarli senza prendersi la briga di processarli. Se qualcuno facesse una cosa simile a mia figlia, credo che sarei capace di...».

Gli sarebbe toccato farci l'abitudine. E anche Nancy. Avrebbe fatto parte della loro nuova vita, almeno per un po'. Aspettò con pazienza che la donna finisse e andasse a prendergli un pigiama del marito.

«Forse le andrà un po' corto, ma è meglio di niente. Se vuole seguirmi, le faccio vedere dov'è il bagno».

Girando un interruttore dopo l'altro, illuminò le stanze a una a una.

«Le ho procurato una terza coperta. È di cotone, ma le servirà anche questa, soprattutto verso il mattino, quando il vento porta l'umidità del mare».

Aveva fretta di coricarsi, di stare solo con se stesso. Ma ricordandosi delle compresse che gli aveva dato il medico si dovette alzare di nuovo per andare a prendere un bicchiere d'acqua. Dal davanti della casa arrivavano le voci attutite della donna e di suo marito, ma non vi fece caso.

«Buonanotte, Nancy» disse in un sussurro che gli rammentò il modo in cui si erano parlati lui e la moglie nella stanza dell'ospedale.

Il giardino risuonava di grilli. In seguito si udirono rumori di porte che si aprivano e si chiudevano, di passi che salivano pesantemente le scale, mentre qualcuno cercava di chiudere una finestra che pareva incastrata. Di quella notte rammentò soltanto la sensazione di freddo che gli penetrava nel corpo nonostante le coperte.

Non fece sogni e si svegliò solo quando il sole lo avvolse completamente, tanto che il viso quasi gli scottava. La città era già piena di frastuono e di voci: per strada passavano delle auto, si sentivano dei galli cantare in lontananza e in casa c'era rumore di stoviglie.

Aveva lasciato i vestiti appesi alla porta del bagno, con dentro l'orologio.

Quando entrò nel vestibolo la padrona di casa gli disse dalla cucina:

«Almeno lei ha dormito! Le giova l'aria aperta!».

«Che ore sono?».

«Le nove e mezzo. La vuole una tazza di caffè? L'ho appena fatto. A proposito, è venuto a cercarla il tenente della polizia».

«A che ora?».

«Saranno state le otto. Era di fretta, stava andando all'ospedale, non era solo. Gli ho detto che lei dormiva e mi ha proibito di svegliarla. Ha anche detto che sarà in ufficio tutta la mattina e che lei può andarci in qualunque momento».

«Ha visto l'uomo che era con lui?».

«Non ho osato guardare troppo. In macchina c'erano tre persone, tutte e tre in borghese, e giurerei che quello in mezzo aveva le manette ai polsi. Non mi stupirebbe sapere che si tratta del tizio che hanno arrestato nel New Hampshire, c'è sul giornale di oggi, quello che è scappato di prigione due giorni fa e in così poco tempo ha avuto modo di fare tanto male. Lei ne sa qualcosa. Vuole vedere il giornale?».

Con grande sorpresa della donna Steve disse di no. Probabilmente pensò che era un tipo freddo, ma la sua era calma, non freddezza. Andò in cucina a bere la tazza di caffè che la donna gli aveva versato, poi fece la doccia e si rasò. Quando uscì sulla veranda, alcuni vicini si affacciarono alla finestra o alla soglia di casa apposta per vederlo.

«Posso fermarmi qui anche stanotte?».

«Resti quanto vuole. Mi dispiace solo che sia così poco confortevole».

Guidò fino in città e si fermò a fare colazione al ristorante dove aveva cenato la sera prima. Dopo aver mangiato qualcosa e bevuto altre due tazze di caffè, si chiuse nella cabina telefonica, chiese la linea con il campeggio Walla Walla e restò per quasi cinque minuti a guardare attraverso il vetro il banco, dietro al quale friggevano uova a dozzine.

«Signora Keane? Sono Steve Hogan».

«È lei, mio povero signor Hogan? Ieri siamo stati in pensiero tutto il giorno, nonostante la sua telefonata. Ci domandavamo che cosa le fosse successo. Soltanto in serata abbiamo saputo della disgrazia di sua moglie. Come sta, poverina? È lì con lei? L'ha vista? ».

« Sta meglio, signora Keane, la ringrazio. Mi trovo a Hayward. Domani conto di venire a prendere i bambini. Non gli avete detto niente, vero? ».

« Solo che la mamma e il papà erano in ritardo. Pensi che ieri sera Bonnie ha detto che di sicuro vi eravate fermati per strada a divertirvi. Vuole parlare con loro? ».

« No. Preferisco non farlo per telefono. Gli dica solo che domani sarò là ».

« Che cosa pensate di fare? ».

Steve continuava a mantenere la calma.

« Torneremo a casa martedì, quando le strade saranno sgombre ».

« Sua moglie sarà in grado di affrontare il viaggio? ».

« Il dottore dice di sì ».

« Chi avrebbe mai immaginato che potesse capitare una cosa simile proprio a lei! I genitori che arrivano non fanno che parlarne, se sapesse come vi compatiscono tutti e due! Ma forza, poteva andare molto peggio... ».

Si sorprese a rispondere, imperturbabile:

« Sì ».

Non ce l'avrebbe fatta ad andare nel Maine, tornare per prendere Nancy e rientrare a Long Island in un giorno solo, a meno di non guidare come un pazzo. Perciò bisognava che i ragazzi passassero una notte a Hayward. Per fortuna prima del lunedì sera sarebbero partiti tutti e dunque avrebbero trovato facilmente da dormire in albergo.

Pensava a tutto, per esempio che non era necessario avvertire il signor Schwartz che Nancy martedì mattina non sarebbe andata in ufficio: a quell'ora doveva già sapere ogni cosa dai giornali. Lo stesso valeva per il suo principale. Sarebbe bastato, l'indomani sera, mandare un telegramma, in modo che arrivasse in Madison Avenue il martedì mattina. Avrebbe scritto solo: «Sarò in ufficio giovedì».

Il mercoledì se lo voleva riservare per organizzare la casa. Non poteva ancora prendere accordi con Ida, la loro domestica negra, perché li aveva avvisati che avrebbe trascorso il week-end a casa di parenti, a Baltimora.

Spianava il terreno, a poco a poco, sforzandosi di prevedere tutto, compresa la storia che avrebbe raccontato ai bambini scostandosi dalla verità solo il minimo indispensabile, visto che ne avrebbero sentito parlare dai loro compagni di scuola.

Era contento di rivederli, ma non allo stesso modo delle altre volte. Ora c'era qualcosa di più intimo fra di loro. Anche Bonnie e Dan sarebbero entrati in una nuova vita.

Alle due, dopo la visita all'ospedale, avrebbe pensato a scambiare la sua macchina con un'altra. Da qualche parte doveva certo esserci un rivenditore di auto d'occasione, e quelli sono posti dove si lavora più durante il week-end che nei giorni feriali. Non doveva dimenticare di chiedere al tenente di dargli un documento provvisorio, un certificato qualunque che sostituisse la patente, a meno che non avessero ritrovato il suo portafogli.

Ma restava ancora una cosa da fare, molto più importante, che non poteva rimandare. Si sentiva tranquillo. Era indispensabile conservare il sangue freddo. Guidò fino alla strada statale senza avere la curiosità di accendere la radio. Quando arrivò alla stazione di polizia erano le dieci e mezzo. Davanti all'ingresso c'era un'auto con la targa del New Hampshire, senza altri segni identificativi: doveva essere quella degli ispettori dell'FBI che avevano portato lì Sid Halligan.

Doveva anche abituarsi a sentire quel nome, a pronunciarlo mentalmente. Il tempo era bello come il giorno precedente, solo l'aria era un po' più umida: c'era una leggera foschia, che lasciava prevedere un temporale a fine giornata.

Prima di salire i gradini di pietra dell'ingresso spense la sigaretta schiacciandola con il piede; entrò nella stanza principale, dove un poliziotto stava interrogando una coppia. La donna, con il trucco sfatto, aveva i modi e la voce da cantante di cabaret.

«Il tenente è nel suo ufficio?».

«Vada pure, signor Hogan. Lo avverto che è qui».

In un attimo lo avevano già annunciato con l'interfono: infatti fece appena in tempo a mettere la mano sulla maniglia che la porta gli si aprì davanti. Lo accolse il tenente Murray, che sembrò sorpreso dal suo atteggiamento.

«Entri, Hogan. Ero certo che sarebbe venuto. Non le chiedo come ha passato la notte. Si accomodi».

Steve scosse la testa guardandosi intorno e chiese con voce più atona del solito:

«È qui?».

Il poliziotto annuì, sempre stupito di vederlo così padrone di sé.

«Posso vederlo?».

Anche il tono del tenente divenne più grave.

«Lo vedrà fra poco, Hogan. Nel frattempo, la prego di sedersi un attimo».

Lui obbedì docilmente, ascoltando come aveva fatto con la padrona di casa e con la lamentosa signora Keane. Il suo interlocutore lo capì benissimo, tanto che parlava senza convinzione, riempiendosi la pipa con dei colpetti di indice.

«È arrivato stanotte e questa mattina lo abbiamo portato a Hayward. Ho preferito non parlargliene ieri, e spero che non me ne voglia. Era meglio ottenere subito un riconoscimento certo. Fra un'ora gli ispettori lo riporteranno a Sing Sing. Se non l'avessimo fatto stamattina, avremmo dovuto disturbare sua moglie più tardi, e...».

«Come stava?».

«Era sorprendentemente calma».

Steve non riuscì a trattenere il sorriso che suo malgrado gli si stava disegnando sulle labbra, e questo sembrò disorientare il poliziotto.

«Stamattina alle sei all'ospedale si è liberata una stanza e ho dato ordine che vi fosse trasferita».

«È morto qualcuno stanotte?».

La trasformazione che era avvenuta in lui doveva essere davvero profonda se, appena diceva qualcosa, il tenente quasi si confondeva.

E infatti, senza rispondere alla domanda, chiese a sua volta:

«Ha parlato con sua moglie, ieri sera?».

«Ci siamo spiegati» disse semplicemente Steve.

«Stamattina l'ho immaginato. Pareva rasserenata. Prima sono entrato nella stanza da solo, per chiederle se se la sentiva di affrontare il confronto. Per precauzione, il medico è rimasto tutto il tempo nel corridoio, pronto a intervenire in caso di bisogno. Ma contrariamente a quanto mi aspettavo, sua moglie non era affatto spaventata e non ha mostrato alcun segno di nervosismo. Ha detto solo, con la stessa naturalezza con cui mi parla lei adesso:

«"Immagino che sia indispensabile, vero tenente?".

«Le ho risposto di sì. Allora ha chiesto dov'era lei. Le ho spiegato che stava dormendo e mi è sembrata contenta. Poi ha detto:

«"Sbrighiamoci".

«Così ho fatto segno ai due ispettori di portare il prigioniero.

«Da quando è stato arrestato nega l'aggressione, sostenendo che si tratta di uno sbaglio di persona. Ammette il resto, che non è altrettanto grave. Me lo aspettavo.

«Al momento di entrare nella stanza ha sollevato la testa e ha sorriso in modo insolente. In piedi al centro della stanza, guardava sua moglie con aria di sfida.

«Ma lei non ha fatto una piega. Il suo viso è rimasto immobile. Dopo un po', ha strizzato gli occhi, come per mettere meglio a fuoco.

«"Lo riconosce?" ha chiesto uno dei due ispettori dell'FBI, mentre il collega stenografava.

«Sua moglie ha risposto soltanto:

«"Sì, è lui".

«Halligan la fissava con la stessa espressione di sfida, mentre l'ispettore continuava la serie delle domande e sua moglie continuava a rispondere con voce sicura:

«"Sì".

«È tutto, Hogan. La faccenda si è risolta in meno di dieci minuti. I giornalisti e i fotografi aspettavano in corridoio. Solo quando Halligan è uscito dalla stanza ho chiesto a sua moglie se potevo lasciarli entrare, facendole notare che non è mai una buona cosa mettersi contro la stampa. E lei mi ha risposto:

«"Se il medico non ha nulla da obiettare, che vengano pure".

«Il dottore ha dato il permesso di entrare soltanto ai fotografi, e solo per pochi secondi, vietando le domande dei giornalisti.

«Come vede è stata coraggiosa. Confesso che prima di uscire non ho potuto fare a meno di stringerle la mano».

Steve guardava davanti a sé senza dire niente.

«Non so se sarà costretta a comparire di persona quando il caso arriverà in tribunale. A ogni modo, dato che i capi d'accusa sono piuttosto numerosi e complessi ci vorranno parecchie settimane, e per allora sua moglie si sarà ristabilita. Può anche darsi che il tribunale si accontenti di un affidavit».

Il tenente appariva sempre più a disagio. Sebbene continuasse a scrutarlo, sembrava che il nuovo atteggiamento di Steve travalicasse le sue capacità di comprensione.

«Vuole ancora vederlo?».

«Sì».

«Adesso?».

«Appena possibile».

Murray uscì, Steve si alzò e restò in piedi, rivolto verso la finestra. Pareva raccogliere le idee.

Sentì un andirivieni nei corridoi, rumori di porte, i passi di molte persone. Dopo un tempo piuttosto lungo il tenente rientrò, lasciandosi la porta aperta alle spalle, e andò a sedersi alla scrivania.

Subito dopo entrò Sid Halligan con le manette ai polsi, seguito dagli ispettori dell'FBI.

Rimasero tutti in piedi, eccetto il tenente. Qualcuno chiuse la porta.

Steve, a testa bassa, con le braccia lungo il corpo e i pugni stretti, era ancora rivolto verso la finestra. Il suo viso era esangue. Un leggero velo di sudore gli imperlava la fronte e il labbro superiore.

Videro che chiudeva gli occhi e si tendeva come se avesse bisogno di tutta la sua energia; lentamente fece un quarto di giro su se stesso e si trovò faccia a faccia con Halligan.

Il tenente, che li osservava entrambi, vide scomparire progressivamente il sorriso stampato sulla faccia del detenuto.

Per un attimo temette di dover intervenire e si sollevò appena dalla sedia, perché Steve, il cui sguardo pareva non riuscire a staccarsi da quello dell'aggressore di sua moglie, aveva cominciato a irrigidirsi: il suo corpo si era contratto, la mascella sporgeva minacciosamente.

Il pugno destro di Steve scattò in avanti, ma soltanto di pochi centimetri: Halligan, che se n'era accorto, alzò di scatto le braccia bloccate dalle manette e lanciò uno sguardo impaurito agli agenti, come per chiamarli in aiuto.

Non si erano detti una parola. Non si era sentito un rumore. E già Steve pareva rilassarsi, i suoi lineamenti si fecero meno duri, lentamente le spalle si abbassarono e il suo viso apparve confuso.

«Scusatemi...» balbettò.

Gli altri non capirono se si riferiva al gesto che aveva trattenuto a stento.

Ora poteva guardare in faccia Halligan con la stessa espressione che aveva poco prima mentre il tenente gli parlava, un'espressione che dalla sera precedente ormai gli apparteneva.

Lo fissò a lungo, come si era riproposto di fare, perché gli era sembrato un passo indispensabile per iniziare la loro nuova vita.

Nessuno poteva immaginare che quella che per poco non aveva picchiato quando aveva alzato il pugno era una parte di se stesso, né che negli occhi del detenuto affrontava qualcosa del proprio passato.

Adesso era arrivato in fondo alla strada. Poteva guardare altrove, rientrare nella vita di tutti i giorni. Si guardò attorno, stupito nel vedere che tutti erano così tesi, e disse con la sua solita voce:

«È tutto».

Poi aggiunse:

«La ringrazio, tenente».

Se avevano domande da fargli, era pronto. Non gli importava più.

Anche Nancy era stata coraggiosa.

Shadow Rock Farm, Lakeville (Connecticut),
14 luglio 1953

FINITO DI STAMPARE NEL GENNAIO 2005
DALLA TECHNO MEDIA REFERENCE S.R.L. - CUSANO (MI)

Printed in Italy

BIBLIOTECA ADELPHI

ULTIMI VOLUMI PUBBLICATI:

400. Rudyard Kipling, *Kim* (2ª ediz.)
401. Giorgio Manganelli, *Salons*
402. Saul Steinberg, *Riflessi e ombre*
403. Vladimir Nabokov, *La difesa di Lužin*
404. Roberto Calasso, *La letteratura e gli dèi* (2ª ediz.)
405. Jeremias Gotthelf, *Kurt di Koppigen*
406. Aleksandr Puškin, *Poemi e liriche*
407. W. Somerset Maugham, *Acque morte* (4ª ediz.)
408. Derek Walcott, *Prima luce*
409. Georges Simenon, *In caso di disgrazia* (3ª ediz.)
410. Jorge Luis Borges, *Inquisizioni*
411. E.M. Cioran, *Quaderni 1957-1972*
412. Varlam Šalamov, *La quarta Vologda*
413. William Faulkner, *Assalonne, Assalonne!*
414. *Qohélet*, a cura di Guido Ceronetti (2ª ediz.)
415. Soma Morgenstern, *Fuga e fine di Joseph Roth*
416. Rudyard Kipling, *«Loro»*
417. Knut Hamsun, *Pan* (3ª ediz.)
418. Sándor Márai, *I ribelli* (2ª ediz.)
419. *Le lamine d'oro orfiche*, a cura di Giovanni Pugliese Carratelli
420. Giorgio Manganelli, *Pinocchio: un libro parallelo* (3ª ediz.)
421. S.Y. Agnon, *Una storia comune* (2ª ediz.)
422. Oliver Sacks, *Zio Tungsteno* (2ª ediz.)
423. Jonathan D. Spence, *La morte della donna Wang*
424. W. Somerset Maugham, *La luna e sei soldi* (3ª ediz.)
425. *I centomila canti di Milarepa, I*
426. Sándor Márai, *Divorzio a Buda* (4ª ediz.)
427. Georges Simenon, *Il primogenito dei Ferchaux* (2ª ediz.)
428. Paul Valéry, *Quaderni, V*
429. Jorge Luis Borges, *Discussione*
430. Saul Steinberg, *Lettere a Aldo Buzzi 1945-1999*
431. William Faulkner, *La grande foresta*
432. Roberto Calasso, *K.*
433. Tommaso Landolfi, *Gogol' a Roma*
434. Sándor Márai, *Truciolo* (2ª ediz.)
435. Jorge Luis Borges, *L'altro, lo stesso*
436. Vladimir Nabokov, *Fuoco pallido*
437. Giorgio Manganelli, *Improvvisi per macchina da scrivere*
438. *Gli editti di Aśoka*, a cura di Giovanni Pugliese Carratelli
439. Rudyard Kipling, *Puck il folletto*
440. Louis Ginzberg, *Le leggende degli ebrei, IV*
441. Iosif Brodskij, *Profilo di Clio* (2ª ediz.)
442. William Gerhardie, *Futilità*